12 mars 2011

À ma jolie Léa,

Que la lecture devienne une bonne amie pour toi et tu ne connaîtras jamais l'ennui...

x x x
Grand-maman
Nicole.

Sophie

Volume 2

D0533088

la courte échelle

Les éditions de la courte échelle inc.
5243, boul. Saint-Laurent
Montréal (Québec) H2T 1S4
www.courteechelle.com

Dépôt légal, 2ᵉ trimestre 2010
Bibliothèque nationale du Québec

Copyright © 2010 Les éditions de la courte échelle inc.

La courte échelle reconnaît l'aide financière du gouvernement du Canada
par l'entremise du Programme d'aide au développement de l'industrie de
l'édition pour ses activités d'édition. La courte échelle est aussi inscrite au
programme de subvention globale du Conseil des Arts du Canada et reçoit
l'appui du gouvernement du Québec par l'intermédiaire de la SODEC.

La courte échelle bénéficie également du Programme de crédit d'impôt pour
l'édition de livres - Gestion SODEC - du gouvernement du Québec.

**Catalogage avant publication de Bibliothèque et Archives nationales du
Québec et Bibliothèque et Archives Canada**

Leblanc, Louise

    Sophie

    (Premier roman)

    Chaque œuvre a été publ. séparément à partir de 1990.

    Sommaire: v. 2. Ça suffit, Sophie ; Sophie lance et compte ;

    Sophie est en danger ; Sophie devient sage.

    Pour enfants de 7 ans et plus.

    ISBN 978-2-89651-345-1 (v. 2)

    I. Gay, Marie-Louise. II. Titre. III. Collection: Premier roman.

PS8573.E25S6656 2009   jC843'.54   C2009-941655-7
PS9573.E25S6656 2009

Imprimé au Canada

Louise Leblanc

Est-ce que Louise Leblanc ressemble à Sophie ? Nul ne le sait. Ce qui est certain, c'est que la petite Louise adorait lire des poèmes. En grandissant, elle a exercé plusieurs métiers : journaliste, scénariste, professeure de français et même mannequin ! Depuis, elle écrit des livres et c'est ce qu'elle préfère. Mais elle adore aussi faire du sport pour se changer les idées, jouer du piano pour se délier les doigts, faire du théâtre ou du mime pour inventer des personnages, et danser pour le plaisir !

Marie-Louise Gay

À l'âge de seize ans, Marie-Louise Gay se met à dessiner. Elle a exploré divers univers : caricature, animation, bande dessinée, marionnettes… Mais depuis près de vingt-cinq ans, elle se consacre aux livres pour enfants en illustrant ses propres livres ou ceux d'autres auteurs. Elle aime les pages pleines de couleurs et de rêves. Comme elle passe beaucoup de temps à sa table à dessin pour les créer, elle aime bien aller se promener pour se détendre une fois son travail terminé ! Et parfois — mais chut, c'est un secret —, elle danse dans son atelier au son de la musique. Peut-être pour mieux attirer les idées !

De la même auteure à la courte échelle

Collection Albums
Le chevalier de l'alphabet

Collection Premier Roman
Série Sophie :
Ça suffit, Sophie !
Sophie lance et compte
Ça va mal pour Sophie
Sophie part en voyage
Sophie est en danger
Sophie fait des folies
Sophie vit un cauchemar
Sophie devient sage
Sophie prend les grands moyens
Sophie veut vivre sa vie
Sophie court après la fortune
Sophie découvre l'envers du décor
Sophie part en orbite
Sophie défend les petits fantômes
Sophie est la honte de la famille

Série Léonard :
Le tombeau mystérieux
Deux amis dans la nuit
Le tombeau en péril
Cinéma chez les vampires
Le bon, la brute et le vampire
Un vampire en détresse
Le secret de mon ami vampire
Les vampires sortent de l'ombre

Hors collection Premier Roman
Série Sophie :
Sophie, volume 1

Sophie voyage !

Les lecteurs de plusieurs pays du monde connaissent bien Sophie ! En effet, ses aventures sont traduites en anglais, en espagnol, en grec, en danois, en slovène et en arabe.

Louise Leblanc à l'honneur

• Sélection White Ravens de la Bibliothèque internationale de Munich pour *Le chevalier de l'alphabet* (2005)

• Prix Québec/Wallonie-Bruxelles du livre de jeunesse pour *Deux amis dans la nuit* (1998)

• Premier prix, Palmarès des clubs de lecture Livromagie pour *Sophie lance et compte (1993)*

Pour en savoir plus sur la série Sophie,
visitez le www.courteechelle.com/collection-premier-roman

Louise Leblanc

Ça suffit, Sophie!

Illustrations
de Marie-Louise Gay

la courte échelle

1
Sophie en a assez

— Ça suffit, Sophie!

C'est ce que tout le monde me dit, dans cette maison.

Et vous savez combien on est?

Six. On est six. Deux parents et quatre enfants. Vous vous rendez compte?!

Ce n'est pas compliqué, quand on marche dans la rue, j'ai l'impression d'être encore à l'école. On dirait une classe à la queue leu leu. Des fois, j'ai honte!

Mais le pire de tout, c'est que je suis l'aînée. La grande-filleraisonnable qui doit donner l'exemple aux autres.

À Laurent, qui a sept ans et un sale caractère.

À Julien, qui a cinq ans et des lunettes. Il n'a qu'à dire: «Espèce de Bachi-bouzouc!» et tout le monde rit.

Et à Bébé-Ange-Croton-d'amour. C'est une fille. Elle a deux ans. Il paraît qu'elle est superbe, et tout le monde l'embrasse.

Pour ce qui est des adultes de la famille, alors là, fiou!

Mon père est maniaque de l'ordre et du bon langage. Et il croit qu'il a toujours raison.

Ma mère est maniaque de la propreté et d'une bonne alimentation. Et elle est toujours en mouvement.

Ce n'est pas compliqué,
quand elle parle, ses phrases
passent au-dessus de moi à la

vitesse d'un Boeing 747. Les seuls mots qui me tombent sur la tête comme des valises, ce sont:

— Ça suffit, Sophie!

Les biscuits, le désordre, la télévision. Et ceci, et cela. Hum!

Parmi les autres mots-valises assommants, il y a aussi: MONTE et DESCENDS.

— Descends surveiller Bébé-Ange.

— Monte ramasser tes traîneries.

— Descends de l'arbre.

— Monte te coucher.

D'ailleurs, ça ne devrait pas tarder, il est vingt heures.

— Sophie, monte te coucher. Ça suffit, la télévision!

Qu'est-ce que je vous disais! Et ce n'est rien, ça!

L'autre jour, j'étais avec ma meilleure amie. On était tranquilles. On parlait de choses importantes. Puis les trois bébés sont arrivés.

Deux minutes plus tard, Laurent et Julien criaient. Et Croton-d'amour pleurait.

Mon père est venu et, avec sa grosse voix, il m'a dit:

— Ça suffit, Sophie!

C'était VRAIMENT injuste!

Je suis devenue toute rouge de honte et de colère. En dedans de moi, j'ai répondu:

— Ça suffit, en effet! J'en ai assez!

Et j'ai décidé de partir. Je n'en peux plus. À neuf ans, je suis trop jeune pour être la plus vieille.

2
Sophie
doit rester éveillée

Pour quitter la maison, ça prend un bon plan. Et j'en ai un. J'ai pensé à tout.

La seule chose à laquelle je n'avais pas pensé, c'est qu'il faudrait que je reste éveillée très tard. Jusqu'à ce que mes parents montent se coucher.

En ce moment, je les entends écouter les informations à la télévision.

J'entends aussi la laveuse qui gronde le linge sale. Lui et moi, on est les plus grondés, dans cette maison.

Et puis, tiens, il y a l'horloge-mamie qui sonne les heures. C'est l'horloge grand-père de ma grand-mère.

De temps en temps, elle oublie un coup ou deux. Elle doit manquer de souffle ou de mémoire. Comme Mamie, des fois. Mais ce n'est pas grave. Pour savoir l'heure, je n'ai qu'à regarder ma montre.

Là, il est vingt-deux heures. Et si je ne veux pas m'endormir, il faut que je continue à vous parler.

Une chance, aussi, qu'il y a Obélix. Mon Obélix-veilleuse, au pied du lit, avec son ventre plein de lumière.

Quand je me réveille, la nuit, il chasse mes cauchemars à coups de rayons. Et il me ramène dans ma chambre.

Ça suffit, Sophie !

Ma chambre, je l'aime bien. Parce que c'est ma chambre à moi toute seule. Enfin, le soir. Parce que le jour, c'est un vrai dépanneur.

Ils viennent tous fouiller dans mes affaires. Laurent prend même mes poupées. Mais ça, je m'en fous.

Aussi, il y a Julien qui essaie de me faire peur. Il se cache sous mes couvertures, puis il saute sur le lit en hurlant. Comme il perd toujours ses lunettes, je sais que ce n'est pas un fantôme. Et je n'ai jamais peur.

D'ailleurs, je ne suis pas peureuse du tout. Il ne faut pas avoir froid aux yeux pour décider de quitter la maison.

Aye! J'entends craquer l'escalier. Enfin, mes parents montent se coucher. Je vais faire semblant de dormir.

FIOU! Ils sont passés devant ma chambre. Et ils ne se sont pas aperçus que je ne faisais pas «un beau dodo». C'est ce qu'ils me disent, à moi, leur aînée. Vous vous rendez compte!

S'ils savaient. «Un beau dodo», ce n'est pas cette nuit que je vais en faire un.

Quand même, avant de descendre, je vais continuer encore un peu à faire semblant de dormir... semblant... de... dor... mir...

3
Sophie
fait ses provisions

Ça y est! La maison s'est arrêtée de vivre. Il n'y a que Laurent qui grince des dents. Celui-là, même dans ses rêves, il doit avoir un sale caractère.

Il ne faut pas que je fasse de bruit en descendant l'escalier. Je retiens ma respiration et j'essaie de me faire légère.

Ça ne sert à rien. Chaque fois que je pose le pied sur une marche, celle-ci lance des CRAACS! terribles.

Je n'y avais jamais fait attention. Mais là, dans le silence

Ça suffit, Sophie !

total, c'est vraiment… impressionnant.

Enfin, le tapis du salon. Chaud et doux. Comme il fait noir !

BRRR ! Les tuiles de la cuisine. On dirait l'eau glacée d'un ruisseau. Et il fait encore plus noir, ici.

Pas question d'allumer. Les parents, ça ne dort que d'un oeil. Et l'oeil qui reste éveillé, c'est toujours le bon.

Je vais ouvrir les stores. Fiou ! La lune est là. Et en pleine forme. C'est encore mieux qu'une lampe de poche. Une autre chose à laquelle je n'avais pas pensé.

Heureusement, il fait assez clair pour remplir mon sac d'école de provisions.

Qu'est-ce que je devrais emporter?

— UNE BONNE ALIMENTATION!

Fiou! J'ai eu l'impression d'entendre ma mère, derrière moi. Mais c'était une illusion. Il n'y a personne. Quand même, je me sens mal à l'aise, tout à coup. Il faut que je me décide.

Des tablettes de céréales, du pain brun, une boîte de raisins secs. Et puis… une banane et deux pommes.

Ce n'est pas trop. Après tout, je ne connais pas mon avenir. Même, il me semble que ce n'est pas suffisant. Cette fois, je veux penser à tout.

Je remplis deux sacs à sandwich. Le premier, de biscuits au chocolat. L'autre, de chips

Ça suffit, Sophie !

ondulées.

J'en prends quelques-unes que j'avale presque tout rond. Dans ma poitrine, mon coeur se démène comme un chanteur rock: BABALOU BONG BONG BONG!

Un vrai tintamarre, qui s'ajoute aux CROUNCH! CROUNCH! CROUNCH! des chips.

C'est la première fois que je me retrouve seule, la nuit, dans la maison sans vie. Je ne pensais pas que ce serait si énervant.

Tellement énervant, que j'allais oublier les carrés de sucre. La chose la plus importante pour la suite de mon plan.

Il n'y a pas l'ombre d'un carré de sucre. Tant pis! À la

place, je prends le sac de cassonade.

Vite, vite! Il faut que je remonte.

J'oublie la prudence et je grimpe l'escalier à toute allure.

CRAC! CRAC! CRAC!

Je lance mon sac d'école à côté du lit.

CROUNCH! CROUNCH!

Et je disparais sous les couvertures.

FIOU!

4
Sophie
est folle de rage

En ouvrant les yeux, j'aperçois mon sac d'école, plein à craquer. Aussitôt, je me souviens que je dois quitter la maison.

Mon coeur de rocker se remet à jouer de la batterie.

Il ne faut pas que je l'écoute. J'ai bien raison de partir. Je suis trop malheureuse.

D'ailleurs, j'ai un très bon plan et je n'ai qu'à le suivre, ce n'est pas plus compliqué.

Et puis, je deviendrai une héroïne, et tout le monde me regrettera.

D'abord, je m'habille chaudement: deux chemises, trois chandails et mon manteau.

Mamie le dit souvent: «Dans ce pays de fou, la température est un vrai yo-yo.»

Et, en sortant pour attendre l'autobus scolaire, je découvre un ciel bourré de nuages. Pas rassurant du tout. BRRR!

Ce n'est peut-être pas le jour idéal pour quitter la maison. Et peut-être que ma mère va m'en empêcher.

En tout cas, elle va me chercher. Parce que je ne suis même pas allée rejoindre les autres dans la cuisine. Et alors, en me voyant, elle va bien voir que…

— Tu as encore traîné au lit, toi. Prends au moins cette pomme. Le matin, il faut manger.

Ma mère est venue et n'a rien vu. On est pourtant assez gros, mon sac et moi. Des obèses, comme Obélix.

Je n'en reviens pas. Je suis folle de rage contre ma mère aveugle, qui ne me donne que des conseils. Et une pomme! Avec ce que j'ai dans mon sac!

Voilà ce que j'en fais de sa pomme! Je la lance de toutes mes forces.

Je ne suis vraiment pas chanceuse. Parce que l'autobus scolaire arrive au même moment. Et la pomme va s'écrabouiller sur le pare-brise, devant Chaufferette.

Chaufferette, c'est la femme chauffeur. Elle a de longs cheveux rouges en tire-bouchons, pareils aux fils électriques d'un grille-pain. Et des grands yeux de biche.

En ce moment, ils sont très, très grands. À cause de la pomme-surprise.

Un peu honteuse, je rentre dans l'autobus vide. C'est moi qui suis au début du parcours.

Pour me donner du courage, je me répète que je suis une héroïne. Et, au deuxième arrêt, je continue de mettre mon plan à exécution. Je jette mon sac d'école par la fenêtre en criant:

— Aye! J'ai échappé mon sac par la fenêtre!

Une fois à l'extérieur, je peux verser la cassonade dans le réservoir à essence de l'autobus.

C'est un truc de bandits, au cinéma, pour faire tomber les

voitures en panne.

Bon, dans le film, c'étaient des carrés de sucre. Mais la cassonade, ça devrait fonctionner aussi. Parce que c'est bien meilleur.

5
Sophie
sur le grand boulevard

L'autobus roule son petit bonhomme de chemin comme s'il n'avait rien avalé. Tous les enfants du quartier sont montés à bord, et toujours pas de panne.

Chaufferette file maintenant sur le grand boulevard. Elle s'éloigne de plus en plus de la maison.

J'ai raté mon coup. La cassonade, ça ne vaut rien.

Tant pis! La prochaine fois, j'essaierai avec des carrés de sucre.

Aye! Je pense que j'ai parlé trop vite. Parce qu'on est tous secoués comme des boules de loto. Les fils de grille-pain de Chaufferette se balancent.

Dans un nuage de fumée, l'autobus a de gros hoquets, des frissons monstrueux. Un vrai engin de dessin animé: Boing oing oing! POW! Teuff teuff teuff… prout.

Un dernier petit pet, et c'est la fin. Les fils électriques de Chaufferette retombent.

Je pousse un long soupir d'héroïne-obligée-de-passer-à-l'action.

Là aussi, j'ai prévu un autre truc de cinéma: tous les mots qu'il faut pour créer la panique dans une foule.

Je me précipite vers l'avant de l'autobus en hurlant:

— Au feu! On coule! Sauve

qui peut! Les enfants d'abord!

Et ça marche! C'est la panique! Tous les enfants me suivent. Ils sortent de l'autobus en se bousculant.

Chaufferette est clouée de stupeur sur son siège. Ses yeux n'ont jamais été aussi grands.

Je profite du nuage de fumée pour me sauver en catimini.

Je cours, je cours, je cours. Plus vite que toutes les coureuses aux Jeux olympiques, c'est certain.

Mon coeur m'accompagne à la batterie. J'ai la bouche sèche, les yeux pleins d'eau. Et, bientôt, le souffle en panne. Comme s'il y avait de la cassonade dans mes poumons.

Je m'arrête. Mon visage est brûlant et j'ai chaud à mourir.

C'est vrai que j'ai deux chemises, trois chandails et mon
manteau.

Avec toutes ces pelures, je
dois avoir l'air d'un gros oignon.

Un oignon rouge obèse et essoufflé. C'est à ça que je dois ressembler. Et tout le monde doit me regarder.

Je jette un coup d'oeil autour de moi. Il n'y a personne.

Sur le grand boulevard, il ne passe que des voitures: ZOUM! ZOUM! ZOUM!

Je ne vois même plus l'autobus scolaire.

Alors là, ce n'est pas du cinéma. Dans ma tête et dans mon ventre, c'est vraiment la panique.

6
Sophie
marche, marche...

Marcher. C'est tout ce que je peux faire.

Et je marche, je marche sur le grand boulevard. Mais j'ai l'impression de ne pas avancer. C'est terrible!

Si, au moins, il y avait des maisons, je pourrais sonner chez des gens.

Je pourrais peut-être trouver des Parents-Secours. C'est facile, ils mettent une affiche rouge et blanc à leur fenêtre. Dessus, il y a un adulte qui tient la main d'un enfant.

Ou alors, ce serait une

Mamie, qui m'accueillerait comme une reine. Et je serais gâtée-pourrie.

MAMIE!

J'aurais dû téléphoner à Mamie avant de préparer mon plan. Ça aurait été si simple.

Avec des sanglots dans la voix, je lui aurais dit que j'étais malheureuse. Et Mamie m'aurait répondu:

— Mon pauvre petit chou, ils te font des misères? Raconte à Mamie.

Ah! Être encore un petit chou! Redevenir un vrai bébé! Il n'y a pas de meilleur remède contre mes chagrins d'aînée-martyre.

HERRR! Quelle idiote! Si j'y avais pensé, je ne serais pas ici. Je ne serais pas obligée de marcher des heures et des heures.

En voyant le boulevard qui s'étire comme un gros élastique... je me dis que ce sera peut-être des jours et des jours...

7
Sophie est sauvée

Une bouteille perdue au milieu de l'océan, voilà comment je me sens.

Une bouteille qui a mal aux pieds et à la tête.

C'est ça, être une héroïne! Eh bien! ce n'est pas drôle du tout. En tout cas, ça n'a rien à voir avec les histoires qu'on raconte.

Dans les livres et dans les films, les héroïnes, elles ont toujours l'air en forme. Alors que moi, je suis très, très fatiguée.

Plus épuisée que moi, tu meurs, c'est certain.

Plus découragée que moi, tu pleures.

D'ailleurs, je commence à voir embrouillé. Je vais devenir

une bouteille qui se remplit d'eau salée et qui coule au fond de la mer.

Je ne veux pas. J'essaie de flotter encore un peu. Je relève la tête.

Et là, je reçois un vrai choc! Au-dessus des flots de voitures et de panneaux, je viens d'apercevoir l'enseigne géante d'un centre commercial. Celui où je vais souvent avec mes parents.

C'est comme si j'avais reçu une piqûre d'énergie. Je me mets à courir. Je cours, je cours vers ma bouée de sauvetage.

8
Sophie
au centre commercial

J'arrive au centre commercial complètement essoufflée. Et trempée comme un biscuit dans un verre de lait.

J'enlève mon manteau et je vais m'asseoir sur un banc, à côté de la fontaine. Le bruit de l'eau me rafraîchit déjà.

Je reconnais le coq du restaurant barbecue. La vitrine pleine de jouets. Et le manège où Bébé-Ange et Julien font des tours de cheval. Je me sens un peu chez moi, ici.

Ce qui me ferait du bien, maintenant, ce serait de manger.

Il doit être tard.

Je regarde l'heure à ma montre. Avec un petit pincement au coeur, je pense à l'horloge-mamie. Il est onze heures.

ONZE HEURES, SEULEMENT!

Quand même, j'ai très faim. Ma mère a raison: le matin, il faut manger. J'ouvre mon sac d'école.

CROUNCH! CROUNCH!

La première chose qui me tombe sous la main, c'est le sac de chips. Je les avale en vraie gloutonne.

Après tout, ce n'est pas encore l'heure du repas, ni d'une bonne alimentation. Et puis, ce n'est pas la peine de quitter la maison, si c'est pour être sage.

Même que, pour dessert, je

vais prendre des biscuits au chocolat. Voilà. Ce n'est pas plus compliqué.

MIAM-MIAM! C'est bon! Et je me sens toute ravigotée.

Je pense que je vais aller au magasin de jouets. Pour une fois que mes parents ne sont pas là.

Formidable! Je suis libre de toucher à tout. Les boîtes de jeux, les livres, les voitures et, surtout, les figurines de bandes dessinées. Ils sont tous là: Milou et Goofy, les Schtroumphs, Babar et… Obélix.

Avec un gros pincement au coeur, je pense à mon Obélix à moi. Et le souvenir de ma veilleuse assombrit mon plaisir.

En plus, il y a la vendeuse qui me surveille. Elle a l'air de

Ça suffit, Sophie !

trouver ça bizarre, un enfant dans un magasin de jouets.

Vraiment! Je n'en reviens pas. Mais je devrais partir.

Je sors de la boutique à toute vitesse.

La vendeuse aussi! Elle me prend pour une voleuse!

Je me sauve en courant. Mon coeur bat très fort. Je ne m'arrête que beaucoup plus loin, devant une vitrine remplie de téléviseurs allumés.

Je ne vois même pas les images, tellement je suis énervée. La police va venir, c'est certain. Et elle va m'amener en prison, avec les bandits.

Je voudrais m'en aller. Mais je suis incapable de bouger, comme si j'avais les pieds pris dans la glace.

Ça suffit, Sophie !

Autour de moi, c'est noir de monde. On dirait des milliers de fourmis. Je commence à être étourdie. Je ne reconnais plus rien.

Je ne me sens plus du tout chez moi, ici.

Chez moi aussi, il y a beaucoup de gens, c'est vrai. Mais, au moins, je les connais.

Et mes parents, ce sont... des Parents-Secours, voilà.

Avant d'avoir les yeux pleins d'eau, je regarde l'heure à ma montre. Il est dix-huit heures.

DIX-HUIT HEURES!

Mais c'est impossible! C'est ÉPOUVANTABLE!

9
Sophie
traverse le petit bois

Comme une folle, je m'élance vers la sortie.

Il fait déjà noir, dehors.

Sur le boulevard, je vole presque. Je traverse la rue au feu rouge. Une voiture me frôle en klaxonnant.

Deux autres feux, et j'arrive au petit bois. Pour me rendre à la maison, je dois le traverser.

La rue se rétrécit. Il fait plus noir. Le silence tombe sur moi comme un grand manteau qui m'étouffe.

Soudain, un homme surgit de la nuit, avec un gros chien.

Ça suffit, Sophie !

«Ne jamais parler à des inconnus», m'a dit ma mère.

Je les dépasse. J'entends des pas derrière moi. Ce sont eux. Ils me suivent, c'est certain.

Au-dessus de moi, se dresse une patte énorme aux longues griffes pointues.

FIOU! C'était l'ombre d'un arbre.

Le bois n'en finit plus. En voiture, il paraît si petit. Mais à pied, c'est une vraie forêt!

J'ai mal au coeur. Malgré mes pelures, je grelotte. Je tremble de peeeeeur. Je n'en peux plus:

— AU SECOURS! MAMAN! PAPA! MAMIIIIIE…

10
Sophie
n'en revient pas!

AU SECOURS! JE SUIS…
Je suis dans mon lit!!! Hein! Je
suis dans mon lit!

J'ai rêvé. Tout ça n'était
qu'un rêve.

FIOU!

La preuve que je suis dans
ma chambre, c'est qu'Obélix
est là, avec son ventre plein de
lumière. Mon sac d'école, lui,
a l'air d'une vraie galette.
Comme d'habitude.

Et puis, voilà Laurent qui
arrive. Alors là, c'est certain que
je suis chez moi. Il faut que je
l'embrasse, je suis trop contente.

SMACK! SMACK!

Deux gros becs, je lui ai donné deux gros becs.

Laurent n'en est pas revenu. Vous savez ce qu'il a fait? Il s'est sauvé et il a déboulé l'escalier en hurlant:

— Maman, Sophie est malade!

Il a bien raison. Aujourd'hui,

je serai malade. Il me semble que j'ai mal au coeur. Et après un cauchemar plein d'action comme celui-là, j'ai besoin de repos.

Quand même, les rêves, c'est formidable. Vous ne trouvez pas? En tout cas, ça fait réfléchir.

Je pense que je vais attendre encore un peu avant de quitter la maison. Quelques années peut-être.

Parce que, être une héroïne solitaire, c'est trop difficile. Plus difficile que d'être une aînée, c'est certain.

Louise Leblanc

Sophie lance et compte

Illustrations
de Marie-Louise Gay

la courte échelle

1
Sophie ne rit pas

C'est la nuit de Noël. Je suis seule dans ma chambre pendant que les autres s'amusent.

Et vous savez pourquoi?

Parce que toute la parenté a ri de moi et que je n'ai pas trouvé ça drôle du tout. C'est même... écrasant. On se sent devenir molle comme une pelure de banane.

Tout avait si bien commencé...

Pour une fois, je n'avais pas reçu de poupée en cadeau. Et le réveillon était bon! Bon!

— C'est SUCCULENT, a dit mon père, qui est maniaque du bon langage.

Enfin, le dessert est arrivé: une éNORRRme bûche au chocolat. Avec beaucoup de champignons en sucre d'érable et des feuilles à la pâte de menthe.

— À la pâte D'A-MAN-DE, d'amande, a corrigé mon père.

Ma tante Hortense en a profité pour demander si on étudiait bien à l'école. Et ce qu'on voulait faire plus tard.

Mon frère Julien, qui a cinq ans, a dit qu'il serait laveur de vitres. C'est à cause de ses lunettes, qui sont toujours pleines de taches.

Laurent, lui, a dit qu'il serait professeur. Ça doit être à cause de son sale caractère. Il a seulement sept ans et il n'arrête pas de me donner des ordres.

Moi, je n'ai rien dit, parce que j'étais occupée à attendre mon morceau de gâteau. Mais tante Hortense a insisté:

— Et toi, ma petite Sophie, es-tu décidée?

Vous savez ce que j'ai répondu?

— D'abord, je ne suis pas petite. J'ai neuf ans. Et puis, ce n'est pas compliqué, plus tard je serai présidente ou romancière. Sinon, gardienne de but au hockey.

C'est à ce moment-là qu'ils ont tous commencé à rire. SEIZE personnes!

La seule qui n'a pas ri, c'est Mamie. Parce qu'elle me comprend.

Et aussi, ma petite soeur de deux ans: Bébé-Ange-Croton-d'amour. Parce qu'elle n'a rien compris. Et parce qu'elle a eu très peur et qu'elle s'est mise à pleurer.

Moi, je n'ai pas pleuré. Même si j'en avais envie. Mais je suis montée dans ma chambre.

2
Sophie
obéit à Mamie

Ce qui est terrible, c'est que je n'ai pas mangé de bûche au chocolat. Quand même, pas question de redescendre.

— Youhou! Ma petite Sophie!

Ah non! Pas la tante Hortense! Celle-là, c'est de sa faute si... FIOU! Ce n'est pas elle. C'est Mamie qui m'apporte un gros morceau de gâteau! Je vous l'avais dit qu'elle me comprenait.

— Mange, mon petit chou. Après, on pourra parler.

Moi, j'obéis toujours à Mamie.

Quand j'ai avalé la dernière miette de la SUCCULENTE bûche, Mamie me dit:

— C'est vrai que tu veux devenir gardienne de but?

— Bien... peut-être. J'adore le hockey. Et chaque fois que Laurent et ses amis m'invitent à jouer, c'est parce qu'il leur manque un gardien.

— Oui, mais le hockey, c'est surtout pour les garçons.

— Je ne vois pas pourquoi!

— Voyons, Sophie, tu dois savoir qu'il existe des différences entre les garçons et les filles?

— Vraiment, Mamie, c'est certain! D'abord, Julien se promène toujours nu-fesses. Et puis, je sais TOUT sur les filles et les garçons. Sur l'amour et les bébés.

— Ah oui! Et tu pourrais m'expliquer?

Afin que Mamie comprenne bien, je lui prête mon livre qui donne la «recette» pour faire des bébés.

C'est très beau. Et très intéressant, plein d'illustrations sur les différences entre le papa et la maman.

— Tu vois, Mamie, les différences sont importantes pour faire des bébés. Mais pour jouer au hockey, vraiment!

— Tu as raison, ma Sophie. Si c'est ton plus grand rêve, rien

n'est impossible. Tout de même,
ce ne sera pas facile.

— Ah non! Avec les autres
qui rient de moi.

— Il ne faut pas s'occuper
des autres. Ils s'arrêtent toujours

de rire après le tour de magie.

— Quel tour de magie, Mamie?

— Réaliser son rêve, c'est le faire sortir de sa tête. Comme le magicien fait sortir un lapin de son chapeau. Et quand les autres voient le lapin, ils ne rient plus. Ils te regardent avec des yeux remplis d'admiration.

Mamie m'a embrassée et elle est allée rejoindre les autres. Pendant qu'ils s'amusent, je commence à préparer mon tour de magie...

3
Sophie s'entraîne

Pour devenir gardienne de but, ça prend un bon plan. Un plan SCIENTIFIQUE.

D'abord, il faut s'entraîner.

Moi, je vais m'exercer plus souvent avec Laurent et ses copains. Ce n'est pas l'idéal, mais ils jouent au hockey tous les jours sur l'étang gelé du parc voisin.

Puis, il faut un équipement

complet de gardienne de but.

Quand j'en aurai besoin, je prendrai l'équipement de Laurent. Ce n'est pas plus compliqué.

Enfin, il faut jouer une vraie partie dans un aréna rempli de monde.

Là, j'ai décidé de garder le but pour les *Lutins rouges*. C'est l'équipe de Laurent. À la fin des vacances de Noël, elle rencontre les *Araignées noires*. Une équipe TERRIBLE.

Je dois commencer mon entraînement. C'est certain.

Lorsque j'arrive près de l'étang, Laurent et ses copains me regardent en rigolant, la bouche aussi fendue que des *jeans* de chanteur rock.

Aussitôt, je me sens devenir

pelure de banane. Plus molle que ça, tu tombes.

C'est ce qui m'arrive en sautant sur la glace:

BANG!

Ce n'est pas compliqué, l'étang se remplit de rires. Ils arrivent de tous les côtés et m'atteignent comme des flèches empoisonnées.

J'ai le courage en compote.

— LES AUTRES S'AR-RÊTENT TOUJOURS DE RIRE APRÈS LE TOUR DE MAGIE!

Je viens d'entendre Mamie! Vous vous rendez compte! Et ses paroles me donnent des ailes. On dirait que j'ai des ressorts dans les jambes.

Je me relève et je me plante devant les garçons en déclarant:

Je suis venue ici pour m'entraîner.

Les garçons s'arrêtent net-fret-sec, les yeux gelés d'étonnement.

Le silence est revenu, aussi vite que dans la classe quand la maîtresse arrive.

C'est ce qui me donne l'idée de l'imiter:

— Un peu de discipline! Allons, au travail!

Et ça marche! On se met à jouer.

On joue pendant deux heures. Et il me semble que je m'améliore.

Quand même, je pense que je dois encore faire des progrès. Il paraît que les *Araignées noires* sont vraiment terribles.

4
Sophie
fait un casse-tête

Ça y est! Je suis au sommet de ma forme. Depuis deux semaines, je m'entraîne tous les jours. La partie de hockey la plus importante de ma vie a lieu demain matin. Et j'ai décidé de prendre un peu de repos.

Et puis, il faut que j'essaie l'équipement de Laurent pendant qu'il joue avec ses copains. Je ne lui ai pas encore dit que je le remplaçais dans le but des *Lutins rouges*.

J'espérais qu'il tomberait malade. Avec le froid qu'il fait! Je ne suis vraiment pas chanceuse, parce qu'il n'a jamais été en aussi bonne santé.

S'il n'attrape pas un rhume, les oreillons ou la rougeole avant ce soir, il va falloir que je trouve une autre idée.

Pour le moment, je descends au sous-sol. J'ouvre le gros sac de hockey de Laurent et j'en sors toutes les pièces de son équipement.

— POUAH!

Ça ne sent vraiment pas bon. Et puis, il y a beaucoup plus de morceaux que je ne le croyais. Si je veux démêler tout ça, le mieux est de faire un casse-tête sur le divan.

Je commence par le plus facile: je place le casque, le masque et, un peu plus bas, les grosses jambières.

Au fond, ce n'est pas compliqué; tout le reste va entre les deux.

Quand même, à la fin, il y a une petite pièce du casse-tête que je n'arrive pas à caser. Elle est étrange...

AYE! AYE! AYE! j'entends du bruit. Vite, derrière le divan.

FIOU! C'est seulement Julien. Mais en apercevant le casse-tête du gardien de but, il se met à hurler:

— Maman! Un fantôme! Il est assis sur le divan! MA-MAAAN...!!!!!!

Évidemment, ma mère arrive

Sophie lance et compte

à toute vitesse:

— Voyons, Julien! Ce n'est pas un fantôme, c'est le costume de gardien de but de Laurent. Tu sais bien qu'il laisse toujours traîner ses affaires.

Ma mère a raison. Et parce que Laurent n'a pas d'ordre, vous savez ce qu'elle fait?

Elle défait mon casse-tête. Et elle range toutes les pièces dans le sac de hockey. GRRR!

Pendant ce temps-là, je suis obligée de retenir ma respiration. Et aussi, un cri de satisfaction. Parce que je viens de trouver où va la petite pièce étrange. C'est un protège-zizi. Hi! hi! hi!

C'est bien beau, mais avec tout ça, il est trop tard pour m'habiller en gardienne de but.

Tant pis. J'essaierai mon équipement au moment de la rencontre. Je suis sûre qu'il m'ira très bien.

De toute façon, l'important est de savoir où vont TOUTES les pièces du casse-tête.

5
Sophie
fait rêver Laurent

— ATCHOUMMM!

Laurent est dans ma chambre et il vient d'éternuer. Je saute sur l'occasion:

— Mon pauvre Laurent, tu es malade! C'est certain.

— Pas du tout!

— Mais oui, tu es malade.

— EYYE! C'est moi qui le sais. Tu es bizarre, toi. Surtout que tu m'as invité dans ta chambre. C'est rare, ça.

Laurent a vraiment un sale caractère. Et puis, je pense qu'il se doute de quelque chose.

Heureusement, je suis aussi rusée qu'une «fine mouche», ou qu'un renard...? Je ne me souviens plus de ce qu'il faut dire. En tout cas, je fais semblant d'être d'accord avec lui:

— C'est vrai que je suis bizarre. Parce que j'ai décidé de donner la plupart de mes affaires.

— Hein!

— Je fais du ménage. Tu peux prendre ce qui te tente.

— HEIN! Tu es folle! Je ne te crois pas.

— Ah! Au lieu de dire «hein», dis-moi plutôt ce que tu veux. Tu verras bien.

— Heeeuuu!... je veux: ton ours jaune, ta chenille à pois jaunes et ton monstre mou à pattes jaunes.

— C'est tout?

— NON! Ça, c'est pour les toutous. Je veux ausssiii... tes autos-robots, ton cadenas-tirelire, tes grosses chaussettes jaunes, tes billes astrales et ta cassette *Coeur de loup*.

— FIOU!

— Ah oui! Et ton livre qui donne la «recette» pour faire des bébés.

— Ah non! Ça, pas question. D'ailleurs, je l'ai prêté à Mamie. Bon, on transporte tout dans ta chambre.

Laurent ne proteste pas. C'est bien la première fois qu'il obéit à un de mes ordres. Il doit avoir peur que je change d'idée.

Quand il a fini de ranger mes affaires parmi les siennes, je continue à être rusée:

— J'espère que tu es content?

— Un vrai rêve, dit Laurent.

— Justement, moi aussi, j'ai un rêve.

— C'est quoi, ton rêve?

— Garder le but pour les *Lutins rouges*, demain.

— HEIN!

— Alors, on fait un échange: mon rêve contre ton rêve. Ce n'est pas plus compliqué. Je te laisse mes affaires, et tu me laisses garder le but à ta place.

Laurent reste silencieux. Il ne faut pas qu'il réfléchisse trop longtemps.

— Et puis?

— Et puis, c'est énervant,

ton échange. Et puis, c'est impossible.

— Rien n'est impossible avec les rêves. Mamie l'a dit. D'abord, il faut que tu tombes malade.

— Comment ça, tomber malade?

— Bien oui, comme quand tu ne veux pas aller à l'école.

Là, on se comprend, Laurent et moi. Et on rit! On rit!

FIOU! Ça fait du bien de rire avec quelqu'un d'autre.

6
Sophie
réunit la famille

— ATCHOUM! Hi-hi-hi! ATCHOUM! Hi-hi-hi!

— Mais arrête de rire!

Laurent vient de commencer à être malade et il s'amuse comme un fou.

Le problème avec les plus jeunes, c'est qu'ils ne savent pas quand s'arrêter. Il n'y a jamais moyen d'être sérieux.

Pourtant, l'heure est grave.

C'est le moment de convaincre mon père que Laurent ne pourra pas jouer au hockey demain. Et qu'il a besoin d'un remplaçant ou d'une remplaçante de toute urgence.

Ma mère et Croton-d'amour sont en train de prendre un bain.

Mon père et Julien mettent du bois dans la cheminée pour faire un feu.

Dans le scénario qu'on a préparé, Laurent a le rôle principal. Il doit répéter ce que je lui ai dit de dire:

— Papa-a-a-atchoum! J'ai mal à la gorge, au ventre, et au nez et à la tête.

— ALOUETTE! enchaîne mon père en riant.

Je n'en reviens pas. Mon père est vraiment sans-coeur. Je ne devais pas intervenir, mais dans les circonstances je pense que c'est nécessaire.

— Laurent est TRÈS malade, papa. Tellement, qu'il ne jouera pas au hockey demain.

— Contre les *Araignées noires*! Cela m'étonne. Attendons demain pour décider. Il ira peut-être mieux.

Je réponds à mon père de

façon catégorique:

— Demain, il sera trop tard pour trouver un remplaçant.

Mon père est de plus en plus étonné:

— Il y a le petit Gauthier, non?

— Le petit Gauthier n'est pas de taille. C'est un défenseur. Les *Lutins rouges* vont se faire manger par les *Araignées noires*. Il leur faut un VRAI BON gardien de but.

— Et où vont-ils trouver cette perle rare? me demande mon père qui s'apprête à jeter une allumette dans le foyer.

Je prends une grande respiration et je réponds d'une traite:

— Dans-notre-salon-la-perle-rare-c'est-moi.

Mon père est tellement étonné qu'il laisse échapper son allumette. Qui s'enfonce dans le tapis et laisse échapper une fumée puante.

Julien, lui, s'est sauvé en tenant ses lunettes et en hurlant:

— AU FEU! AU FEU!

Il revient aussitôt avec ma mère et Croton-d'amour. Elles sont enveloppées dans une grande serviette, les cheveux dégoulinants et pleins de mousse. Ma mère semble découragée:

— Qu'est-ce qui se passe ici?

Je donne un coup de coude à Laurent. Alors, il dit:

— Puisque je serai malade demain, il faut que Sophie remplace mon remplaçant. Même si elle n'est pas aussi bonne que moi, elle est meilleure que le petit Gauthier. Voilà!

Ma mère a tourné les talons et elle est repartie encore plus découragée. Croton-d'amour pleurait, parce qu'elle avait du savon dans les yeux.

Mon père a simplement répété:

— Je comprends, je comprends...

Laurent et moi, on attend, on attend...

Après une éternité, mon père ajoute:

— Il faut d'abord convaincre l'entraîneur!

FANTASTIQUE! Je suis sûre qu'il va réussir à le convaincre.

Et vous savez pourquoi?

Parce que l'entraîneur des *Lutins rouges*, c'est mon oncle Antoine.

7
Sophie
gardienne de but

Mon père a convaincu mon oncle Antoine. Mais mon oncle Antoine n'a pas convaincu les *Lutins rouges*. C'est certain.

Ils sont groupés dans un coin du vestiaire et ils me regardent en chuchotant.

Un chocolat blanc dans une boîte de chocolats bruns, voilà comment je me sens. Un chocolat minoritaire, dirait mon père.

Mamie avait raison. Gardienne de but, c'est un grand rêve difficile à réaliser pour une fille.

La sirène annonçant le début de la rencontre se fait entendre.

En un éclair, les *Lutins* quittent le vestiaire. Et tout ce que mon oncle trouve à me dire avant de partir, c'est:

— Tu ne peux plus reculer maintenant.

Vraiment! Vous parlez d'un encouragement!

Je ne suis plus qu'un chocolat minoritaire abandonné, qui a chaud et qui fond sous son équipement de hockey.

En plus, je reçois un choc terrible! Je viens de m'apercevoir dans un miroir, et j'ai l'air complètement ridicule.

Avec les jambières de Laurent qui sont trop courtes pour moi; avec mes deux cannes qui dépassent et mes patins jaune fluo, ce n'est pas compliqué, je ressemble à un canard.

Je suis affffreuuuuse...

— PENSE AUX YEUX REMPLIS D'ADMIRATION, QUAND LE MAGICIEN FAIT SORTIR UN LAPIN DE SON CHAPEAU.

Mamie! Je viens d'entendre Mamie. Et ses paroles me donnent des ailes, comme l'autre jour au parc.

Je quitte le vestiaire. Le murmure de la foule arrive à mes oreilles. On dirait un aimant qui m'attire.

J'entre dans l'aréna. Les trois premières rangées sont pleines à craquer. Je saute sur la patinoire, aussi légère qu'une plume. Je glisse, je flotte jusqu'à mon but sous la lumière des projecteurs.

Le sifflet de l'arbitre appelle le silence. Et là, d'un seul coup, la magie disparaît avec le murmure de la foule.

Je commence à trembler. Mon armure de gardien s'alourdit et je me ramollis complètement.

J'ai le trac! Pour la première fois de ma vie. Et c'est ÉPOUVANTABLE!

Je vais me faire manger par les *Araignées noires*. C'est certain.

8
Sophie
lance et compte

La troisième période vient de commencer. En ce moment, le jeu se déroule à l'autre bout de la patinoire. J'ai le temps de vous résumer la partie.

Malgré un début difficile, j'ai été époustouflante durant vingt minutes. J'ai TOUT bloqué: trois arrêts incroyables. Et la première période s'est terminée 0 à 0.

La deuxième période a été un peu différente. Personne n'a bien joué. Quand on est retournés au vestiaire, les *Araignées noires* menaient 8 à 7.

Évidemment, les *Lutins* ont dit que c'était de ma faute et... AYE! AYE! AYE! ATTENTION! Le jeu se rapproche. Tout le monde arrive devant mon filet et je ne vois plus rien.

OÙ EST LA RONDELLE?

FIOU! Elle est derrière le but. Ah non, la voilà, elle est... dans le filet. Je n'en reviens pas.

9 à 7.

Il faut que je me concentre, c'est certain.

Le petit Gauthier passe la rondelle au grand Magnan, le meilleur des *Lutins*. Il fonce vers le but adverse et déjoue le gardien. Fiou! 9 à 8.

Nouvelle mise au jeu. Le rythme ralentit, alors que le temps passe de plus en plus vite. Tout est perdu pour les *Lutins*.

Les *Araignées* ont même un sursaut d'énergie. L'*Araignée* 7 passe à l'*Araignée* 15, qui repasse à la 7, qui remet la rondelle à la 22.

C'est la plus grosse des *Araignées*. Un MONSTRE, qui patine vers moi, suivi des autres joueurs.

Je suis le seul *Lutin* devant lui. Et si je veux l'arrêter, il faut que je m'avance.

C'est ce que je fais... en fermant les yeux.

BANG!

Je viens de m'écraser sur la glace, bousculée par le MONS-TRE. Et je vois des étoiles d'*Araignée*.

La foule proteste.

Julien hurle:

— Espèce de BACHIBOU-ZOUK!

Un inconnu lance:

— Quelle brute!

Mamie crie:

— Ne touchez pas à mon petit chou!

Mon père s'exclame:

— Vas-y! LANCE!

Et moi, je réponds:

— Comment ça, lancer?

Je regarde autour de moi.

L'*Araignée* 22 est allée s'écraser contre la rampe. D'autres *Araignées* tombent comme des mouches. Et tous les *Lutins* sont derrière moi.

J'aperçois la rondelle à mes pieds. Une fraction de seconde, je pense «aux yeux remplis d'admiration».

C'est le moment de faire mon

tour de magie et de sortir le lapin du chapeau.

Je me relève. L'autre gardien a déjà quitté son filet, convaincu que les *Araignées* ont déjà gagné. Il n'y a que quelques mètres entre nous. Plus que quelques secondes à jouer.

Après, tout se déroule au ralenti. Comme dans les reprises à la télévision.

Je lance... la rondelle passe entre les jambes de l'*Araignée*... glisse... glisse...

ET C'EST LE BUT!!!!

Et c'est l'explosion de joie dans la foule et chez les *Lutins rouges*, qui patinent vers moi en lançant leurs gants et en criant:

BRAVO! YOUPI! Les *Araignées noires* n'ont pas gagné! HOURRA! VIVE SOPHIE!!!

Je n'ai même pas le temps de voir leurs yeux pleins d'admiration. Parce qu'ils se jettent tous sur moi et qu'ils m'étouffent. C'est FORMIDABLE!!!

9
Sophie prend
une douche... froide

Quelle sensation! Je n'en reviens pas. Réaliser un grand rêve, c'est vraiment une expérience INOUBLIABLE.

Quand même, en arrivant à la maison, je suis complètement épuisée. Et je laisse Julien, Mamie et mon père raconter mes exploits.

C'est aussi excitant à entendre qu'à vivre. Et puis, pendant que j'écoute, je peux dévorer la succulente pizza que ma mère a faite.

— Un gardien qui compte un but, c'est VRAIMENT extraordinaire, précise mon père en riant.

Julien répète qu'il a insulté la grosse *Araignée* en lui criant: «ESPÈCE DE BACHIBOU- ZOUK!» Mamie pouffe de rire et Croton-d'amour applaudit. Tout le monde est content.

Sauf Laurent.

Il a vraiment un sale caractère. Pas le moindre petit mot de félicitations. Et il ne me parle pas de l'après-midi.

Je décide de faire les premiers pas et d'aller le rejoindre dans sa chambre. En même temps, je vais lui emprunter ma cassette *Coeur de loup*. J'ai envie d'écouter de la musique.

Les seules paroles que Laurent prononce, ce sont:

— C'est MA cassette.

Et:

— MAMAN!

Comme de raison, ma mère arrive à toute vitesse. Et vous savez ce qu'elle me sort?

— Laurent est tombé malade, il n'a pas joué au hockey et il est resté à la maison. Alors, *Coeur de loup*, c'est SA cassette. Et les autres choses, ce sont SES affaires. Tu m'as bien comprise?

FIOU! La douche froide!

Je vous dis qu'avant de réaliser un autre grand rêve, je vais y réfléchir. C'est peut-être formidable, mais c'est TRÈS dur, il faut accepter de renoncer à beaucoup de choses. C'est certain.

Sophie lance et compte

Louise Leblanc

Sophie est en danger

Illustrations
de Marie-Louise Gay

la courte échelle

1
Sophie
et le fusil-hurlant!

Mes parents partent en voyage. Ils en ont besoin, ils n'arrêtent pas de nous disputer, Laurent et moi. Pourtant, on ne s'est jamais si bien amusés ensemble.

Hier, on avait invité tous nos amis et il a commencé à pleuvoir. Alors, on a organisé une chasse au trésor dans la maison.

Eh bien, même s'il n'y a eu aucune bagarre, ma mère était super énervée. Elle a refusé que nos amis reviennent aujourd'hui. Et elle compte sur nous pour l'aider avant son départ.

Mon père a été plus précis:

— Vous surveillez votre petite soeur pendant qu'on fait nos valises. Et pas de folies!

Grrr! Je ne vois pas quelles folies on peut faire avec un bébé de deux ans. Et puis Bébé-Ange dort. Elle risque seulement de faire un cauchemar.

Laurent récupère le fusil qu'il a caché derrière le sofa quand mon père est arrivé.

— Tu lèves cette manette, ensuite, tu presses le bouton et ça part! m'explique-t-il.

— Hoyyhayaarghueuurrha...

— Fiou! On dirait quelqu'un qui se tord de douleur.

Je prends le fusil et je tire à mon tour. On entend un cri de souffrance terrible.

— RRRAAAAAARGAAA...
Bébé-Ange se réveille et se

met à pleurer, alors que je fais feu en direction de Laurent. Il s'écroule en hurlant.

Mes parents arrivent en courant. Ils pensent que Bébé-Ange s'est fait mal, parce qu'ils l'examinent partout.

Rassurés, ils se retournent. Et ils aperçoivent le fusil, et Laurent qui est étendu sur le plancher. Comme un idiot, il fait le mort.

En une seconde, mes parents deviennent blancs. Plus blanc que ça, tu es phosphorescent.

Mon frère Julien arrive à ce moment-là. Il nous regarde tous, puis il dit d'un ton enragé:

— Vous jouez à *L'Exterminateur* sans moi! Ce n'est pas gentil. Moi aussi, je veux jouer à *L'Exterminateur*.

Il s'empare du fusil, replace ses lunettes sur son nez et tire une rafale sur toute la famille. Des tas de gémissements jaillissent du fusil-hurlant.

Laurent est toujours mort et il fait bien de le rester, car mon père est devenu rouge de colère. Plus rouge que ça, tu exploses. C'est ce qui arrive à mon père:

— Qu'est-ce que c'est que ce fusil?

— C'est le fusil-hurlant de l'Exterminateur qui est très méchant et qui veut exterminer tout le monde dans son film, répond Julien.

Mon père n'est pas satisfait de la réponse:

— Sophie! D'où vient ce fusil?

— Je... ne sais pas, moi! C'est Laurent qui...

— LAURENT! tonne mon père.

Je crois que là, Laurent est vraiment mort de peur, parce qu'il ne bouge pas d'un poil.

— Laurent, dit ma mère d'une voix calme, veux-tu me faire le plaisir de ressusciter immédiatement et de t'expliquer.

Laurent revient à la vie, mais il a l'air encore un petit peu mort. Il bredouille:

— C'est... à un copain. Je lui ai dit qu'on... n'avait pas de fusil-hurlant à la maison et il n'en est pas revenu! Alors, il m'a prêté le sien pour qu'on sache AU MOINS ce que c'est.

J'en profite pour lancer un message à mes parents:

— On passe pour des idiots devant nos amis. Parce qu'ils sont au courant de tout, et pas nous.

Et ce soir, ils vont tous regarder *L'Exterminateur* à la télévision.

— Il n'est pas question que vous regardiez ce genre de film, déclare aussitôt ma mère.

Incroyable! mes parents n'ont pas vu le film et ils en parlent... en connaisseurs. Ils décident pour nous sans savoir. C'est ce que je leur dis.

— Nous savons très bien que *L'Exterminateur* est un film d'une violence extrême, qui pourrait vous MARQUER POUR LA VIE. Cela nous suffit, tranche ma mère.

— Puis c'est un navet, ajoute mon père.

— L'Exterminateur n'est pas un navet, c'est un extraterrestre, précise Julien qui n'a rien compris.

— Quand je dis que le film

L'Exterminateur est un navet, je veux dire qu'il n'est pas bon.

— Je le sais que l'Exterminateur est mauvais, se fâche Julien. Il paraît qu'il découpe les gens en tranches avec son fusil pour se faire des sandwiches. Comme ça!

Julien nous fait une démonstration en déchargeant le fusil-hurlant sur Croton-d'Amour. Elle se met à hurler autant que le fusil.

Pour se faire entendre, mon père doit hurler encore plus fort:

— ÇA SUFFIT!

Tout s'arrête de hurler. Mon père ajoute, en mordant ses mots:

— Je ne veux plus jamais voir ce fusil ni entendre parler de *L'Exterminateur* dans cette maison. Vous m'avez compris?

Grrr! On n'est pas chanceux d'avoir des parents sévères, qui nous empêchent de nous... développer comme les autres enfants. Il va falloir profiter de leur absence pour nous rattraper...

2
Sophie au club vidéo

Mes parents nous ont donné un million de conseils. Et ils en ont donné autant à Mamie qui est notre gardienne. Mais quand ils partent, tout le monde oublie tout.

Mamie ne couche pas Bébé-Ange comme ma mère le lui a recommandé. Elle commence à jouer avec elle en rigolant. Puis elle permet à Julien de regarder la télévision.

J'en profite pour lui demander si je peux aller chez le dépanneur Tanguay avec Laurent. C'est juste à côté. Elle accepte en nous décochant un clin d'oeil:

— Tout de même, pas trop de bonbons!

Lorsqu'on est seuls, je dis à Laurent:

— Pauvre Mamie, elle s'imagine qu'on mange encore des bonbons en cachette.

— Ouais, rigole Laurent. Nous, on préfère les chips.

Je suis complètement découragée. Je me demande si Laurent n'est pas trop jeune pour participer à mon plan. D'un autre côté, j'ai besoin de lui:

— Tu as ton argent, j'espère? C'est essentiel pour mon plan.

— Un plan! Pour acheter des chips! Pas question. Chacun ses chips!

Grrr! Je vous dis que ça prend de la patience pour obtenir ce qu'on veut! Heureusement que

j'en ai:

— Pas pour acheter des chips, idiot! Un plan pour *L'Extermi-nateur.*

— Le film? Mais... c'est hier qu'il est passé à la télévision!

— On a un magnétoscope! Et le club vidéo est juste à côté du dépanneur, alors...

— Tu veux louer la cassette? Mais... le vendeur n'acceptera jamais de louer un film aussi terrible à des enfants.

— J'y ai pensé, figure-toi! J'ai pris la carte d'abonnement de papa dans le tiroir de son bureau. Je vais dire au vendeur que mon père m'a envoyée louer le film pour lui.

— Mais... Mamie non plus ne sera pas d'accord, c'est sûr.

Grrr! «De la patience, Sophie!» C'est ce que je me dis. Et j'explique à Laurent la deuxième partie de mon plan:

— On regardera le film quand Mamie sera endormie. Si elle se couche tard ce soir, on le regardera demain soir. Et pour louer le film toute la fin de semaine, j'ai besoin de ton argent. C'EST CLAIR?

— OUI! Mais...

Là, je n'ai plus de patience et je dis à Laurent ce que je pense:

— Tu n'es qu'un peureux, qui ne saura jamais ce qu'est la violence! Et qui passera pour un idiot à l'école lundi matin.

Laurent sort aussitôt son argent. Je le prends aussitôt et j'entre au club vidéo.

J'en ressors cinq minutes plus tard avec la cassette de *L'Exterminateur*.

Laurent n'en revient pas. Moi non plus. Vous savez ce qui est arrivé?

J'ai raconté mon histoire au vendeur qui m'a répondu:

Sophie est en danger

— Ne te fatigue pas, ma poulette, des petites menteuses comme toi, il en vient tous les jours.

Le vendeur avait tout deviné, mais il m'a quand même loué le film, un film d'une violence... extrême. Vous vous rendez compte!

Il y a des vendeurs qui n'ont vraiment aucune... conscience.

3
Sophie
a peur de Laurent

Il est minuit.

Seuls les ronflements de Mamie réveillent un silence de mort. Mon frère et moi descendons jusque dans les entrailles de la maison.

Le sous-sol est plongé dans une noirceur de caverne. J'allume ma lampe de poche. Laurent glisse la cassette dans la fente du magnétoscope et il le met en marche.

Une musique épeurante se déchaîne. Le titre éclate en lettres dégoulinantes de sang: *L'EXTERMINATEUR*.

Puis une voix TERRIBLE dit: «PAUVRES... petites créatures. PAUVRES humains. Je vais TOUS vous exterminer! HA! HA! HA!»

L'Exterminateur apparaît. Il est *monsssstrueux*. Il avance vers une foule de gens qui fuient. Il allonge le cou, sa tête GROSSIT, ses yeux sortent de leurs orbites et nous... FIXENT.

Laurent et moi, on se rapproche l'un de l'autre. Encore plus quand on entend: «Inutile de fuir, je vous rattraperai! HA! HA! HA!»

L'Exterminateur saisit une fille... de mon âge et la broie dans ses mains. Le corps de la petite fille pleure tout son sang.

La mère devient folle de douleur et se jette sur l'Exterminateur. Celui-ci prend son fusil et la découpe en tranches en bavant

Sophie est en danger

de plaisir: «Un sandwich fami-
lial, quel régal! HA! HA! HA!»

— FFFFFIOU! C'est... tu ne
trouves pas?

Laurent ne répond pas. Il est
immobile, il a la bouche ouverte.
Il... me fait peur.

Surtout que jjjjj'...entends du
bruit derrière moi. Fiou que j'ai
peur! Je crie:

— ...

Je voulais dire à Laurent: «Arrête de faire l'idiot! Parle, dis
quelque chose!» Mais pas un son
n'est sorti de ma bouche.

Le bruit se... rapproche... À
l'écran, l'Exterminateur arrache
les yeux de quelqu'un.

— VOUS ALLEZ ME LE PAYER!
Vous regardez *L'Exterminateur*
sans moi, espèces de bachi-
bouzouks! Ce n'est pas gentil.

Mais... c'est Julien! GRRR! C'est lui qui va nous le payer! Nous faire peur comme ça! Laurent et moi, on se lève d'un bond et on se met à l'engueuler. Julien se met à pleurer:

— Vous êtes méchants! Vous ne voulez jamais de moi. Mais je vais regarder *L'Exterminateur* avec vous quand même.

On explique à Julien qu'il est trop jeune. Il ne veut rien comprendre. Alors, on lui ordonne de retourner se coucher. Il part en marmonnant:

— Vous allez me le payer.

Il revient aussitôt avec Mamie. À ce moment-là, l'Exterminateur est justement en train de réduire une vieille mamie en bouillie, tout en rigolant: «HA! HA! HA! HA! H...!»

Mamie vient de lui couper son rire. Et vous savez quoi? J'ai l'impression que Mamie a vaincu l'Exterminateur. Et ça me procure une joie formidable.

— Allez tous vous coucher, les enfants, dit-elle d'une voix rassurante.

Laurent, Julien et moi, on s'en va à la queue leu leu comme trois petits canards déplumés. Mais on monte l'escalier sans crainte parce que Mamie a fait de la lumière partout. Et aussi parce qu'on sait qu'elle est plus forte que l'Exterminateur.

4
Sophie
discute avec Mamie

Mamie prépare le petit déjeuner sans dire un mot. Je crois qu'elle est très fâchée. Elle va nous punir, c'est certain.

Après le repas, elle installe Bébé-Ange dans la poussette, elle prend son parapluie et elle nous dit:

— On va chez le dépanneur Tanguay.

Je devine que Mamie nous amène au club vidéo. Ce sera épouvantable, car plus on approche, plus Mamie semble en colère. Quand on entre dans le magasin, je me rends compte que ce n'est pas contre nous.

Elle fonce sur le comptoir en écartant les autres clients et elle commence à engueuler le vendeur. Je ne comprends pas tout ce qu'elle lui dit, mais c'est terrible:

— ... pas HONTE! ... êtes un MONSTRE! ... POURRITURE... folie MEURTRIÈRE... avertir la POLICE.

Le vendeur essaie de calmer Mamie:

— Ho! mémé. Je n'ai rien fait de mal!

Je crois qu'il n'a pas réussi, car Mamie lui donne un coup de parapluie sur les doigts:

— Moi non plus, je ne fais rien de mal, voilà ce qu'elle vous dit, mémé!

Puis elle donne un coup de parapluie sur la cassette de *L'Exterminateur*:

Sophie est en danger

— Là non plus, je ne fais rien de mal! Vous êtes d'accord? ajoute Mamie en brandissant de nouveau son parapluie.

Le vendeur est si terrorisé qu'il décide de téléphoner lui-même à la police.

— Sortons, les enfants! dit Mamie. Je trouve que ça sent mauvais dans cet établissement.

Comme toujours, Julien n'a rien compris:

— C'est normal, Mamie, c'est plein de navets pourris, ici.

Mamie, elle, trouve Julien super drôle et elle éclate de rire. Elle rit! Elle rit tellement que nous aussi, on rit, on rit comme des fous. Et tout le monde aussi, dans le magasin.

Tout le monde, sauf le vendeur qui se tient la tête, comme si Mamie l'avait assommé avec son parapluie.

Le reste de la journée se passe dans la bonne humeur. Mamie ne nous fait pas le moindre reproche. Elle ne reparle même pas de *L'Exterminateur*. C'est bizarre...

Quand je me couche, je me dis que Laurent et moi, on est chanceux que cette histoire se termine aussi bien.

FIOU! Ce n'est pas la même chose dans mes rêves: l'Exterminateur me poursuit. Il approche, je sens ses mains derrière mon cou, il va me réduire en bouillie... MAMIIIIIIIE!

Je cours vers la chambre de Mamie pour échapper à l'Exterminateur.

Mon coeur bat si fort qu'il me fait peur. Et mon ombre sur le mur me fait peur. Tout me fait peur.

Je cours en me disant que ma mère avait raison: je suis... MARQUÉE POUR LA VIE.

— Ça dépend de toi, dit Mamie après que je me suis blottie dans ses bras. Pour ne plus faire de cauchemars, il suffit que tu laisses dormir l'Exterminateur.

— Laisser dormir l'Exterminateur? Je ne comprends pas...

— Quand tu le fais sortir de sa cassette, m'explique Mamie, c'est comme si tu le réveillais. C'est comme si tu lui donnais la vie! Et plus tu le réveilles, plus il devient fort. Alors là, il peut te prendre ta vie à toi.

— Voyons, Mamie! Ça veut dire qu'il y a un tas de gens dont la vie est en danger! Et aussi que je ne pourrai plus jamais regarder de films d'épouvante. Ça n'a pas de bon sens.

Mamie est incroyable! Vous savez ce qu'elle me demande?

— As-tu envie de revoir le film *L'Exterminateur* demain ou après-demain, par exemple?

— Euh... non.

— C'est ce que je pensais. Tu

préfères attendre un peu. Un mois, un an peut-être. Et plus tu attendras, plus l'Exterminateur rapetissera à tes yeux, moins il te fera peur. Ainsi, moi, je l'ai trouvé ri-di-cu-le.

Ce que j'aime de Mamie, c'est qu'on peut discuter avec elle. Et après, elle nous laisse décider par nous-mêmes.

Comme je veux dormir, je pense que je vais aussi laisser dormir l'Exterminateur dans sa cassette. Et je ne le réveillerai pas de sitôt. Parce que ça va prendre du temps avant que je le trouve ridicule. Fiou!

5
Sophie
écrase Lapierre, mais...

Laurent a vraiment l'air malade. Dans l'autobus, il ne dit pas un mot. Et il est pâle comme un drap qui n'a pas dormi.

— Au contraire, j'ai dormi. C'est ça qui est terrible, me dit-il. Parce que j'ai fait des cauchemars toute la nuit.

— Pauvre Laurent, tu n'aurais pas dû regarder *L'Exterminateur.* Tu es trop sensible pour... ce genre de film. Quand même, je te conseille de ne pas parler de tes cauchemars à l'école, tu ferais rire de toi.

À l'école, personne ne fait

allusion à ses cauchemars, évidemment. Mais personne non plus
ne parle de *L'Exterminateur*. Ce
n'est pas normal. Même Pierre
Lapierre, qui est le chef de notre
bande, reste muet.

D'habitude, il nous assomme
de ses exploits, il nous écrase de
ses gros mots pleins d'insultes.
Et nous, on se sent petits, petits.
C'est pour ça qu'il est le chef,
d'ailleurs.

Je trouve que c'est louche.
L'air de rien, je lui demande:

— Qu'est-ce que tu as fait,
vendredi soir?

— Euh... j'ai fait... euh...

C'est de plus en plus louche.
Pour moi, il n'a pas regardé *L'Exterminateur*. Ça me donne assez
de courage pour me moquer de
lui:

— C'est ce que tu as fait vendredi soir, tu as fait «euh»...

Toute la bande éclate de rire. Et là, je n'en reviens pas: Pierre Lapierre ne dit rien. Pour la première fois, c'est lui qui est écrasé. Fiou! Ça faisait longtemps que j'attendais ça:

— Eh bien, moi, j'ai regardé *L'Exterminateur*.

— Je ne te crois pas, réagit enfin Lapierre.

— Demande à Laurent!

— Vvv... vrai. On... n'allait pas manquer un si bon film pour toutes les chips du monde, répond Laurent avec une assurance qui me surprend.

Je vous dis que les autres sont impressionnés. Et vous savez pourquoi? Parce que personne n'a eu la permission de regarder le film!

Ce n'est pas long que je leur dis ce que je pense:

— Vous êtes vraiment tartes. Si vous attendez d'avoir la permission pour faire ce qui vous plaît, vous... n'irez pas loin dans la vie.

Et je leur raconte comment j'ai réussi à déjouer le vendeur du club vidéo, ainsi que ma grand-mère.

Laurent et moi, on devient instantanément des vedettes. Et on est inondés de questions:

— L'histoire? Euh... Il n'y en a pas vraiment. L'Exterminateur extermine des gens, c'est tout. Si on voit beaucoup de sang? Oui, mais ce n'est pas si terrible que ça.

— Vous n'avez pas eu peur!?

— Un peu, au début, mais...

Sophie est en danger

on s'habitue à la violence, hein, Laurent?

— Ah oui, on... on s'habitue à la violence. Même dans les cauchemars, on s'en fout complètement.

Grrr! Je savais bien que Laurent finirait par faire une gaffe. Lapierre va se payer notre tête, c'est certain.

Mais Lapierre ne dit rien. Parce que les autres ne s'occupent même plus de lui. Il n'existe plus, Lapierre, il est devenu... transparent.

Quand même, il y a Clémentine, la *bolle* de ma classe, qui a trouvé la question piège. Vous savez ce qu'elle me demande, de sa petite voix de souris fouineuse?

— Et comment ça finit?

Laurent me regarde, paniqué. Et moi, j'ai l'impression de passer un examen sans avoir étudié. Si je ne réponds pas à cette question, mon année est FOU-TUE. Je serai ridiculisée. RIDICULISÉE! Ça me donne une idée. Je dis:

— On ne sait pas comment ça finit. Parce qu'on n'a pas regardé le film jusqu'au bout.

— Ouais, on ne l'a pas regardé jusqu'à la fin. C'est la vraie vérité, confirme Laurent. Mais pourquoi? Ça, je ne...

Je coupe la parole à Laurent avant qu'il ne dise une autre bêtise:

— Parce que non seulement l'Exterminateur ne nous faisait plus peur, mais il nous... ennuyait. On le trouvait même... RI-DI-CU-LE. Hein, Laurent?

— Ridicule!!?? Ah oui, c'est ça, RI-DI-CU-LE.

— RIDICULE!!?? AH OUI, VRAIMENT?

Ça y est! Lapierre qui prend sa grosse voix. Pauvre lui, il ne m'impressionne plus. Je me retourne pour le remettre à sa place, et là... je reçois un choc TERRIBLE.

L'Ex... L'Exterminateur est là en... en personne. En... dedans de moi, je crie: «MAMIIIIIIE...!»

6
Sophie
contre l'Exterminateur

Dans l'autobus qui nous ramène à la maison, je ne dis pas un mot. Je dois avoir l'air aussi malade que Laurent ce matin.

J'ai mal au coeur et au ventre. J'ai des bleus sur les bras. Avant même que l'Exterminateur me broie dans ses mains, j'étais... en bouillie.

Ce qui s'est passé est terrible.

L'Exterminateur a demandé qui était le chef de la bande. Personne n'a répondu. On avait tous perdu la voix. Alors, le monstre a terrorisé la plus petite du groupe, Clémentine:

— Je t'arrache la peau et je te sépare en quartiers, si tu ne réponds pas.

La souris fouineuse était devenue une petite souris en danger. Et ça me faisait mal de la voir étouffer de peur. Quand même, elle a réussi à désigner Pierre Lapierre, qui a hurlé:

— Ce n'est pas moi, le chef! C'est... SOPHIE!

Je ne sais pas si les autres étaient d'accord, parce qu'ils n'avaient pas retrouvé la voix. Moi, j'aurais accepté à un autre moment, mais là, je n'étais pas d'accord du tout.

L'Exterminateur s'en foutait complètement. Il m'a prise par un bras et y a enfoncé ses doigts. De son autre main, il a fait un geste brusque:

— SSSSLINGGGG!

La lame d'un couteau est apparue devant mes yeux. À travers mes larmes, j'en voyais les éclats terrifiants. J'ai entendu:

— Tu fais une collecte, et vite. Je veux 50 $, demain seize heures, devant l'étang du parc. Et pas un mot à personne, sinon... COUIC! Je te...

L'Exterminateur a éclaté de son rire... sanguinaire. Puis il a disparu.

J'ai commencé à être malade. Et je le suis devenue de plus en plus. Parce que je n'ai réussi à collecter que 6,34 $.

Je ne sais plus quoi faire. Si je n'apporte pas l'argent, l'Exterminateur va... me tuer, c'est certain. Et si je parle... COUIC! C'est pareil.

Sophie est en danger

Je ne me suis jamais sentie aussi... seule. C'est TROP terrible. En arrivant à la maison, je me précipite vers Mamie et je lui raconte tout.

— L'Exterminateur n'existe pas, Sophie. Il n'existe pas, tu m'entends? répète Mamie.

— Peut-être, mais il y en a un faux aussi terrible que le vrai. Et lui, il existe.

— Justement, c'est un faux. S'il était si terrible, il n'aurait pas eu besoin de se déguiser pour vous faire peur. Je crois même qu'il avait aussi peur que toi.

— Peur! Peur de quoi?

— D'être démasqué! Et... c'est ce qu'on va faire, ajoute Mamie d'un ton mystérieux.

Je savais bien que Mamie était plus forte que l'Exterminateur.

***

Le lendemain, à l'école, tous les membres de la bande ont l'air malades. Personne n'a dormi. Ils sont tous inquiets pour moi.

D'un ton mystérieux, je les rassure:

— Ne vous en faites pas, j'ai un plan.

J'aurais voulu leur expliquer mon plan, mais je ne connais pas encore celui de Mamie.

Tout ce qu'elle nous a dit, à Laurent et à moi, c'est de nous rendre au parc après la classe, afin d'être là avant l'Exterminateur.

À quinze heures trente, nous sommes au rendez-vous, derrière le petit kiosque près de l'étang. Mamie est déjà là avec Julien et

Bébé-Ange, et avec son parapluie.

Ainsi à l'abri, on peut surveiller les alentours sans être vus. Le temps passe. Julien, lui, continue de ne rien comprendre:

— Pourquoi on vient dans un parc, si on ne joue pas?

— On joue à l'Exterminateur, lui répond Mamie. Chhhutt! Justement, le voilà.

— Ça, l'Exterminateur! s'exclame Julien. Pour moi, c'est son fils, parce qu'il est pas mal petit.

— Julien a tout compris, me dit Mamie. Ton Exterminateur est un garnement qui mérite une bonne leçon. Tu vas lui donner l'argent, précise-t-elle en me remettant une enveloppe. Nous, on arrive aussitôt pour le prendre sur le fait. N'aie pas peur.

Je n'ai pas peur, je suis ENRA-GÉE. Enragée contre moi.

Dire que Julien a compris. Et que moi, j'ai tremblé devant... cette demi-portion, qui sursaute en me voyant:

— Aaaah!

J'aperçois alors le terrible couteau de l'Exterminateur, un couteau en... caoutchouc.

Je donne quand même l'argent. La demi-portion n'en revient pas, mais elle essaie de m'intimider:

— Ha! Ha! Ha! H...

Cette fois, c'est moi qui lui coupe son rire... sanguinaire:

— Tu es pris au piège!

Le faux Exterminateur se retourne et aperçoit les autres. Il tente de fuir, mais il trébuche sur le parapluie de Mamie et il tombe dans l'étang. PLOUF!

Quand il en ressort, on dirait qu'il a encore rapetissé. Il est ri-di-cu-le: une grosse feuille de nénuphar lui recouvre la tête. En voulant s'en débarrasser, il arrache son masque.

— NICOLAS TANGUAY!

Le fils de l'Exterminateur n'est que le fils du dépanneur. Et il

tremble de peur. Il grelotte comme... une poule mouillée.

Mamie enlève son imperméable et elle le met sur les épaules de Nicolas en disant:

— On s'en va à la maison. Il ne faudrait pas que l'Exterminateur attrape un rhume.

Je ne trouve pas ça drôle du tout. Grrr! Il va me le payer, Tanguay...

7
Sophie,
chef de la bande

Tanguay reste muet malgré mes menaces.

— Je vais raconter à ton père que tu voles des chips dans son magasin. Je te croyais mon ami! Tu me donnes des chips et a-près...

— Hein! fait Laurent. Tu donnais des chips volées à Sophie et pas à moi! Pourquoi?

— Tu vas parler, espèce de bachi-bouzouk, de moule à *gouffre*, de navet pourri!

— Assez, les enfants! Vous n'obtiendrez rien en menaçant Nicolas, intervient Mamie. Je pense qu'il est déjà suffisamment terrorisé.

— OUI! JE SUIS TERRORISÉ! crie Nicolas.

Mamie nous fait signe de nous taire. Elle rassure Nicolas. Et, sans même lui poser une question, elle réussit à le faire parler.

Nicolas a été menacé d'un vrai couteau. Et pas par un faux Exterminateur. Par une bande de vrais durs à qui il doit remettre 50 $, demain. Sinon... COUIC!

— Ils m'ont dit de prendre l'argent dans le tiroir-caisse du magasin. C'est impossible, mon père est toujours là. C'est pour... que j'ai... et que la bande des... va me..., pleure Nicolas.

— Elle ne te fera rien du tout, dit Mamie. Je vais m'en occuper, moi, de la bande des...?

— Des... *Chauves-Souris*, murmure Nicolas, comme s'il craignait d'être entendu.

— Les *CHAUVES-SOURIS*! Je les connais, j'ai déjà eu affaire à cette bande-là. Ce sont des voyous. Ils sont TRÈS violents! On ne rit pas avec eux.

Même Mamie ne les trouve pas ridicules. Cette fois, elle avertit la police. Et elle téléphone à un tas d'autres gens.

***

Le lendemain soir, le sous-sol est rempli de monde. Tous nos amis sont là. Et leurs parents aussi. Et nos professeurs. Il y a même un des policiers qui ont arrêté les *Chauves-Souris*...

Mamie raconte les événements.

Puis tout le monde discute: on veut empêcher qu'un tel drame se reproduise. Après un moment, Nicolas demande la parole.

— J'aimerais dire que... je pense que... Sophie a fait ce qu'il faut faire quand on est menacé. Elle n'a pas eu peur de parler. Et elle m'a... sauvé.

Je n'en reviens pas! En dedans de moi, je dis: «C'est justement parce que j'avais peur que j'ai parlé!»

Aux autres, je ne dis rien. Et je pense que là, j'ai bien fait de ne pas parler. Parce que Nicolas propose que, pour mon courage, je sois nommée chef de la bande.

Tout le monde applaudit. Même Pierre Lapierre. Fiou! Quand le silence revient, je veux dire que... j'accepte, et aussi que le

VRAI chef de la bande, c'est Mamie. Mais on entend un bruit suspect venant d'en haut... Quelqu'un descend l'escalier...

— Coucou!! C'est nous!! On s'ennuyait de vous!

Mes parents! Ils sont revenus plus vite que prévu. En nous apercevant tous, ils s'immobilisent, la bouche ouverte, comme s'ils regardaient un film d'épouvante.

Julien leur explique:

— Sophie n'a pas eu peur de l'Exterminateur. Alors, Mamie a fait tomber dans l'étang le navet pourri, qui a perdu son masque. C'était le fils du dépanneur, qui devait donner de l'argent aux *Chauves-Souris*, avec qui on ne rit pas, sinon... COUIC! Et nous, on en discute!

Mes parents n'ont pas compris tout de suite. Ensuite, ils ont très bien compris que j'avais loué la cassette de *L'Exterminateur*.

J'ai l'impression que cette histoire ne se terminera pas aussi bien que je le croyais. Et que j'aurai une punition aussi terrible que... l'Exterminateur.

Mais je vais expliquer à mes parents que je suis déjà marquée pour la vie. Maintenant, je sais que je ne m'habituerai jamais à la violence, surtout pas à la vraie. Fiou!

Peut-être que je ne serai pas punie...

Louise Leblanc

Sophie devient sage

Illustrations
de Marie-Louise Gay

la courte échelle

1
Sophie
dans l'arène familiale

«Possibilité d'un orage violent», annonce-t-on à la radio. Je prévois la même chose à la maison pour le petit-déjeuner.

Mes parents se sont disputés. Et ma mère s'est coupée en tranchant le pain. C'est la goutte de sang qui fait déborder...

— La coupe est pleine! Je suis à bout, lance-t-elle en sortant, le doigt rouge de colère.

Mon père file doux, fiou! Il prend les tranches que ma mère a coupées et les glisse dans le grille-pain. Puis, il s'esquive en grognant:

— Tu pourrais aider ta mère, il me semble!

Je n'en reviens pas! Mes parents se disputent, et c'est moi qui écope. On dirait que... il n'y a plus d'amour, dans cette famille.

Mon frère Julien se fout complètement de la situation. Il est enragé. Le petit génie répète sa leçon de lecture et trébuche sur les mots. Il dit que c'est idiot, surtout pour un garçon:

— Ma PPPouPée est un... PPrésent de PaPa.

Bébé-Ange s'est arrêtée de manger, le regard effrayé. Je dois réagir avant qu'elle hurle. Ma mère en mourrait.

À la radio, on joue une chanson rythmée. Je monte le son. Je danse et je fais le clown devant Bébé-Ange.

— Dabdaboudou! Taptaptap! Bébé!

Bébé-Ange rigole et tape... PLOF! dans son bol de céréales. Le bol s'envole. Je le suis des yeux...

— Ma Poupée est un Pr...

Julien vient de recevoir le plat sur la tête. Et moi, je reçois

un choc terrible: la cuisine a disparu dans la brume. Je me précipite vers le grille-pain. Je lève la manette: rien. Les rôties ont complètement brûlé!

Mes parents reviennent à ce moment-là. Ils sont suivis de mon frère Laurent, dont le sac d'école menace d'éclater.

Laurent refuse de dire ce qu'il contient, c'est idiot! Mon père l'oblige à ouvrir son sac. Ce n'était pourtant pas le moment de faire un drame pour... mon blouson!

— Tu emportais mon blouson «Castor» sans me le demander!

— Tu aurais refusé! Il me le faut pour entrer dans le groupe musical de l'école. On s'appellera «Les Dents longues».

Comme toujours, Julien n'a rien compris:

— Je te passe mon blouson avec une tête de cheval. Le cheval a des dents aussi longues que celles d'un castor. Et pour faire du théâtre, je n'en ai pas besoin.

Quoi! Il veut faire du théâtre! Je vais l'avoir sur le dos toute l'année.

— Tu es trop petit, Julien. Tu seras un poids pour... tout le monde.

— C'est toi qui ne veux pas de moi, tu es méchante! Puis, je ne peux pas être un poids si je suis petit.

«AAAH PAAARTIR!» hurle un chanteur à la radio.

— C'est ce que je vais faire, dit ma mère, des sanglots dans la voix.

Elle prend Bébé-Ange et s'en va.

«AAAH PAAAR...»

Mon père vient de fermer l'appareil. Le silence tombe sur la cuisine. Terrible!

Mon père semble dépassé par

les événements. Il bredouille:

— Il faut... euh... partir aussi, les enfants.

Dehors, les choses ne s'arrangent pas. Il pleut à verse. Au loin, on voit disparaître le derrière sautillant de l'autobus scolaire. Mon père nous entasse dans la voiture à toute vitesse et rattrape le bus.

En partant, il me sort sa rengaine:

— Tu es l'aînée, sois raisonnable! Julien a le droit de faire du théâtre. Un peu d'harmonie avec tes frères!

Je suis révoltée! En dedans de moi, je crie: «Et Laurent, le voleur de blouson, tu ne lui dis rien! Tout le monde a des droits, sauf moi! Et...»

— SOPHIE! Tu m'as compris?

— Oui, papa!

En dedans, je continue à crier: «Non! Je ne comprends pas! L'harmonie, il n'y en a même plus entre maman et toi. La famille est devenue invivable!»

Heureusement, j'ai des amis qui me comprennent.

2
Sophie
dans l'arène scolaire

Le mauvais temps se poursuit à l'école. Ce n'est pas compliqué, tous mes amis sont d'une humeur massacrante. Qu'est-ce qu'ils ont!?

Lapierre, le dur de la bande, m'a presque défigurée. Pour une niaiserie!

Il avait échappé le ballon, et nous avons perdu contre l'équipe adverse. Je l'ai accusé d'être manchot. Monsieur l'a mal pris.

— Tu vas voir si je suis manchot!

Il m'a lancé le ballon en pleine figure. Ce qui a fait rigoler

Tanguay, le fils du dépanneur. Je l'ai traité de face de singe.

— C'est mieux qu'une face de bois, m'a-t-il répliqué.

— Et qu'un coeur de pierre, a ajouté mon frère Laurent.

Je n'ai pas demandé d'explications, mais ils m'en ont donné. Tanguay m'a dit que j'étais insupportable. Laurent a renchéri:

— C'est une égoïste. À cause d'elle, je ne pourrai pas faire de musique.

Et là, il déballe en public l'affaire du blouson «Castor».

À l'entendre, le groupe musical ne peut se passer de lui. Et «Les Dents longues» vont tomber par ma faute.

Tout le monde est scandalisé de mon attitude. Même Clémentine, le chef de la bande, qui se dit ma meilleure amie.

— Sois sympa avec ton frère.
Il ne le mangera pas, ton blouson.

C'est elle que je vais mordre !

De quoi elle se mêle! Elle n'a pas de frère. Elle n'a aucune idée des problèmes que ça entraîne. Et nos histoires de famille ne re-gardent pas les autres.

J'ai honte! Je suis enragée contre Laurent. Et contre mes amis. Ils ne comprennent rien.

Drrrinnng!

Je suis contente que la récréa-tion finisse! Puis c'est le cours de théâtre. Je pourrai me libérer de toutes mes émotions. C'est un truc utilisé par les bons comé-diens.

Je sens que je suis prête à jouer... un grand rôle.

***

— La pièce raconte l'histoire de Masto, un éléphant au grand coeur, explique le professeur de théâtre.

Un éléphant! Ce n'est pas le genre de rôle que j'espérais. Mais c'est le rôle principal!

— Un vieil éléphant qui connaît les difficultés de la vie, poursuit Mme Pinson...

Ce sera facile de me mettre dans la peau du personnage. Après tout ce que j'ai vécu aujourd'hui.

— ... Un sage qui écoute et conseille les jeunes animaux de la jungle.

Comme moi en tant qu'aînée!

— Chacun de vous incarnera un animal qui vient consulter le vieil éléphant. Il vous faudra inventer une histoire...

— Une sorte de fable?

— Tu as tout compris, Julien.

Mon frère Julien! J'avais oublié qu'il venait au cours. Il est assis à l'arrière de la classe.

Pendant que les autres forment de petits groupes, il vient vers moi. Grrr... Il me demandera de travailler avec lui. Je refuserai. Et il dira que je suis méchante. Ah non! Il passe tout droit.

Il discute avec Mme Pinson. Elle lui remet un livre: les... *Fables de La Fontaine*. Je comprends! Julien va s'en inspirer. Il est vraiment un petit génie.

Quand même, il aurait pu me demander conseil! On peut dire qu'il est rancunier! Comme les autres, d'ailleurs! Eh bien... Je n'ai besoin de personne pour jouer l'éléphant.

À la fin du cours, chacun présente l'animal de son choix. Évidemment, Lapierre sera le lion. Et Clémentine, la souris. Il la bouffera, c'est certain.

Personne n'a pensé au rôle principal!

— Moi, je serai l'éléphant, lance quelqu'un.

Qui ça!? TANGUAY! Il est incapable de dire deux mots. Il a toujours la bouche pleine de friandises. Le seul animal qu'il peut jouer, c'est un écureuil. Je n'ai rien à craindre de lui:

— Moi aussi, je veux le rôle prin... euh, de l'éléphant.

— On verra au prochain cours, dit Mme Pinson. Peut-être le rôle ira-t-il au plus méritant!

Le plus méritant? Qu'est-ce que cela signifie? Ce n'est pas clair...

3
Sophie, seule dans la jungle

Dans l'autobus, on engage la discussion.

— C'est très clair! affirme Clémentine. Le plus méritant est celui qui a la meilleure conduite.

Elle me fatigue, la p'tite parfaite!

— Ce n'est pas une leçon de conduite, c'est un cours de théâtre. L'important est d'être une bonne comédienne.

— Un bon comédien, riposte Tanguay. Masto est un éléphant, pas une éléphante.

— Pourquoi? Il n'y a pas de

raison! Tu n'es qu'un sexisss...

— Sexis-TE, me reprend Clémentine.

— Toi, la souris, tu ferais
mieux de rester dans ton trou!

— Silence! rugit le lion Lapierre. Je suis le roi des animaux. C'est à moi de régler la
question.

Tanguay et moi, on se fout
complètement du lion et on
reprend notre dispute. J'essaie
de le raisonner:

— J'ai beaucoup plus de res-
semblances avec Masto que toi!

— Tu veux rire! Masto a un
grand coeur. Et moi, je suis généreux. Je distribue des friandises à tout le monde.

— Tu les prends dans le magasin de ton père et tu les vends!

— Pas cher! Et si j'avais un

blouson «Castor», je le prêterais à ton frère.

La discussion se transforme en bagarre. Cette fois, c'est Chaufferette, la femme chauffeur, qui rugit:

— À vos places! Ou je vous montre qui est la reine des animaux!

Le silence dure quelques secondes. Il est brisé par la voix de Laurent:

— Je crois que Sophie a tout ce qu'il faut pour jouer le rôle de l'éléphant.

Je n'en reviens pas!

— Elle est grosse.

Je n'en reviens pas, je... je suis...

— Elle n'est pas grosse, objecte Julien. Elle est grassouillette.

Sophie devient sage

Je... Snif... Mes frères sont des monstres. Snif...

À travers mes larmes, j'aperçois notre maison. On sort de l'autobus dans un silence écrasant. Dès qu'on est descendus, les rires fusent. Ils tombent sur mes épaules et m'écrasent encore plus.

Je me sens lourde comme un vieil éléphant. Je me dis que le monde est... une jungle. Un ring de boxe.

Et je me pose une question terrible: y a-t-il quelqu'un qui m'aime sur cette terre?

MAMIE! Elle, elle m'aime. Je vais aller vivre chez elle. Je serai plus heureuse, c'est certain.

On est accueillis à la maison par les rires de Bébé-Ange. Elle ne hurle pas, c'est déjà ça! Et ma mère sera peut-être de meilleure humeur.

C'est Mamie qui est là! Elle est venue! Elle a deviné ma peine. Je me précipite vers elle:

— Il faut que je te parle, Mamie. C'est... extrêmement important.

Elle ne répond pas «Oui, mon petit chou» comme d'habitude. Elle a l'air étrange. Elle dépose Bébé-Ange au milieu de ses jouets.

— Plus tard, Sophie. Je dois d'abord vous parler à tous. C'est au sujet de votre mère. Elle avait besoin de... réfléchir, de se reposer.

Comme toujours, Julien ne comprend rien:

— Je vais lui dire qu'elle peut dormir tant qu'elle veut.

On ne la réveillera pas.

— Si tu montes lui parler, tu la réveilleras, se moque Laurent.

Il n'a rien compris non plus. Si ma mère a besoin de calme, elle est sortie de la maison. Je ferais la même chose, fiou!

— Elle est partie chez une vieille amie, nous annonce Mamie.

Ma mère a une vieille amie! C'est nouveau!

— Pour quelques jours, ajoute Mamie.

Ma mère nous a plantés là pour plusieurs jours! C'est... scandaleux. Puis je ne pourrai pas déménager chez Mamie! Je vais quand même la prévenir de...

— Soyez sages, faites vos devoirs pendant que je donne à manger à Bébé-Ange.

Grrr! Je n'ai pas pu parler à Mamie de la soirée. Bébé-Ange

couchée, elle s'est occupée de Laurent et de Julien. Quand mon père est arrivé, c'était l'heure d'aller au lit.

Je ne dors pas. Je gigote dans mon lit comme un poisson hors de l'eau. J'éprouve une angoisse semblable à la sienne. Je sens que c'est la fin, sans savoir de quoi. J'ai peur.

Je n'en peux plus! Mamiiie!

Je me lève... Aïe! Mon père monte l'escalier. Il PLEURE! Je ne pensais pas que c'était possible.

Il y a une raison grave, c'est certain.

Ma mère! Elle ne reviendra pas! Elle nous l'a dit, mais personne ne l'a écoutée. J'entends sa voix pleine de sanglots: «La coupe est pleine. Partir. C'est ce que je vais faire.»

Je m'effondre sur mon lit. Je
suis un poisson qui vient de
comprendre: c'est la fin de la famille.

Mes oreilles bourdonnent de

reproches: «Tu pourrais aider ta mère! Tu es insupportable. Méchante! Égoïste!»

Tout est ma faute. Même Mamie le pense. C'est pour ça qu'elle ne me parle pas.

Je suis... une enfant seule dans la jungle du monde. C'est terrible, trop terrible.

Il faut que ma mère revienne.

4
Sophie,
petite fille modèle

La seule façon de faire revenir ma mère est de ramener l'harmonie à la maison.

À peine levée, je mets mon plan à exécution:

— Tiens, Laurent!

— Tu me prêtes ton blouson «Castor»!?

— Je te le donne!

— Hein! Je ne te crois pas.

— Puisque je te le dis!

— C'est louche. Ah! je sais! Tu veux autre chose en retour!

— Non, non! Je ne veux rien!

Laurent reste stupéfait, les sourcils en points d'interrogation.

Je ne lui dis pas que notre mère est partie pour toujours. Il est trop jeune pour supporter le choc.

Si je lui annonce que j'ai décidé d'être gentille et patiente, il ne comprendra pas. Il me rira au nez. Je vais lui répondre... que...

— Mon blouson est un peu petit pour moi.

Laurent devient rouge de honte:

— Tu sais, je ne pensais pas ce que j'ai dit. Tu n'es... euh... pas grosse.

Ça me fait plaisir, fiou! Mais je me demande s'il est sincère ou intéressé. Quand même, c'est efficace d'être généreux. Les gens nous aiment davantage.

Je vais vérifier ma théorie avec Julien. Il est plongé dans

les *Fables de La Fontaine*.

— Tu as besoin d'aide, Julien?

— Non!

— Allez! Ça me fait plaisir!

— J'ai dit non, mille millions de tonnerres de braise!

Julien est vraiment rancunier! Il faut que je sois plus patiente avec lui.

— Je suis ton aînée. Je peux te donner des conseils pour choisir un animal.

— J'ai eu les conseils de Mamie. Elle est plus aînée que toi.

J'ai envie de hurler: «Tu as fricoté avec Mamie contre moi!» Mais je pense à ma mère et à l'harmonie dans la famille. Puis je veux en savoir plus:

— Ah oui! Quel animal as-tu choisi?

— Top secret, ma chère! Je ne le dirai qu'à l'éléphant! Et tu n'as pas encore mérité le rôle.

Grrr... Les petits génies ne sont pas des êtres faciles à vivre. Quand même, Julien m'a donné une idée. Pour mériter le rôle, il suffit d'appliquer mon plan à l'école: je serai une élève modèle.

***

POP! Ssscrouitch, ssscrouitch...
Tanguay me fatigue avec sa gomme à mâcher! Et avant ses «ssscrouitch», il y a eu ses «frisch! frisch!» de papiers de bonbons. Difficile d'écouter Mme Cantaloup!

Tanguay me fait perdre mon temps et il perd le sien. Il ne

comprend pas l'importance d'être attentif en classe pour réussir ses études.

Depuis deux jours, j'écoute le professeur. La différence est remarquable.

Je me suis rendu compte que Mme Cantaloup est une EXcellente enseignante. Et qu'on peut apprendre des tas de choses durant les cours. Incroyable!

Pendant ce temps, j'oublie mon angoisse, l'absence de ma mère, qui me hante.

Grrr... Au tour de Lapierre de me déranger! Il fouille dans son pupitre. Il en sort un tire-pois et vise Mme Cantaloup. Il ne va pas...

PHUIIITT!

Trop tard. Le pois est parti.

Lapierre rate le professeur.

Mais pas le vase à fleurs qui est sur son bureau.

BIIING! fait le vase.

— AAAH! fait Mme Cantaloup.

Tous les élèves s'esclaffent. Même Clémentine! C'est honteux.

À la récréation, je dis aux membres de la bande ce que je pense d'eux. De leur comportement de délinquants.

— Tout ça pour un petit pois, rigole Lapierre.

— Tu aurais pu blesser Mme Cantaloup.

— Elle avait le dos tourné. Ce n'est pas un petit pois dans les fesses qui aurait pu la blesser. Pas avec les fesses qu'elle a!

Clémentine se tord de rire. Elle me déçoit, fiou! Je n'hésite

pas à le lui dire.

Elle me répond du tac au tac:

— Il faut ta permission pour rire, maintenant. Qu'est-ce qu'il te prend?

— Ouais, POP! Avant, tu aurais fourni des munitions à Lapierre. Tu ne pouvais pas gober la Cantaloup.

— C'est toi que je ne peux plus gober, Tanguay. Arrête de te goinfrer pendant les cours. Ça me distrait.

— Tu aimerais en faire autant, la grosse!

— Ma soeur n'est pas grosse! vocifère Laurent, qui arrive.

Il porte mon blouson «Castor». Et il a des baguettes de tambour à la main.

Tanguay est estomaqué:

— Tu as dit toi-même que...

— Répète le mot «grosse», et je joue de la batterie sur tes dents. Tu ne mangeras plus jamais de friandises. Parole de castor.

— GROSSE! rugit Lapierre.

Laurent s'avance vers lui.

— Woh les baguettes! Ou je fais de la gibelotte avec toi, le castor. Parole de lion!

Je dis d'un air méprisant:

— Laisse tomber, Laurent. Leurs insultes ne me feront pas changer d'attitude. Un jour, ils comprendront...

— Je comprends déjà, m'interrompt Clémentine.

Je n'aime pas du tout le ton de sa voix...

5
Sophie
et les crottes de souris

Il y en a qui ont vraiment l'esprit tordu. Vous savez ce que Clémentine a prétendu? Que je jouais à l'agneau pour avoir le rôle de l'éléphant.

Bon, d'accord, j'y ai pensé. Mais c'était il y a deux jours. Maintenant, j'ai un comportement exemplaire par conviction. C'est... naturel.

De sa voix de souris, Clémentine a ajouté:

— Et elle a donné son blouson à Laurent pour nous montrer qu'elle est généreuse.

Jamais je n'aurais cru une

souris si féroce. Le plus terrible est que je ne pouvais pas me défendre.

Pas question de dévoiler aux autres ce qui se passe à la maison. Ils croient tous que nous formons une famille unie. Ils nous envient. Ils seraient trop contents!

Puis, je ne voulais pas en parler devant Laurent, et provoquer un drame.

J'ai raté mon coup, fiou! Clémentine avait semé ses petites crottes de discorde dans la tête de mon frère. Un terrain fertile!

Le temps du trajet en autobus, les petites crottes sont devenues d'énormes boulettes.

En mettant le pied à la maison, Laurent me prévient:

— Ne compte pas récupérer

ton blouson lorsque tu auras le rôle de l'éléphant.

— Je n'ai pas l'intention de...

— Ni si tu n'as pas le rôle. JAMAIS! Tu devras me marcher sur le corps.

C'est ce que j'ai envie de faire. Laurent a vraiment un sale caractère. L'harmonie avec lui, ce n'est pas évident. Ni avec personne, d'ailleurs.

Quand même, je crois que j'ai développé une certaine maîtrise de moi. Et que l'important est de dialoguer:

— JE PEUX PARLER, OUI!

— Mmouais, répond Laurent avec méfiance.

— Tu préfères croire Clémentine, une... étrangère, plutôt que ta propre soeur?

— Justement, je te connais.

Je suis découragée. Comment le convaincre de ma sincérité?... Je sais!

— Tu gardes mon blouson et, en plus, je te donne mon t-shirt «Castor».

— Et la casquette assortie aussi?

Mon frère a vraiment les «dents longues». Heureusement, je n'ai rien d'autre d'assorti. Il viderait mes tiroirs. J'accepte pour en finir!

— Tu as raison! Je dois croire ma soeur plutôt qu'une étrangère, concède Laurent en emportant son butin.

Je me rends compte que, lorsqu'on est trop bon, on se fait exploiter. L'harmonie dans la famille me coûte cher. Puis il me reste Julien à... acheter.

Il est encore avec Mamie. Je les entends rire. Je n'aime pas ça. Je suis... jalouse. Je ne devrais pas, mais c'est plus fort que moi.

J'ai le coeur gros.

Je ne me fais pas d'illusions. Mon plan ne fonctionne guère. Malgré mes efforts... surhumains depuis deux jours, je n'ai pas ramené l'entente à la maison.

J'ai l'impression d'être une boîte de puzzle. À l'intérieur, je suis en morceaux. Mes idées, mes sentiments, tout est mêlé. Je ne sais...

— Mon petit chou!

Mamie! Je tombe dans ses bras et je me transforme en fontaine. Je pleure! Je crie mon désespoir:

— Je ne peux pas en faire plus. Pourquoi est-ce que maman

ne revient pas?

Là, je reçois un choc terrible.
J'apprends que ma mère n'est
pas partie pour toujours. C'est
moi qui me suis imaginé le
pire.

— Ta mère est humaine, Sophie! Elle a ses faiblesses. Et une vie en dehors de ses enfants. Comme ton père!

— Ils n'en parlent jamais de... leur autre vie. On ne peut pas deviner leurs problèmes!

— Eh oui! Les humains attendent trop souvent qu'une crise éclate avant d'agir.

Je me reconnais... un peu. Je suis devenue sage quand j'ai eu peur de perdre ma mère.

— C'est décourageant, Mamie. Ça veut dire que l'harmonie est impossible.

— Difficile! Il faut y travailler tous les jours.

Mamie me sort un de ses trucs de magie:

— Lorsque tu affrontes quelqu'un, considère-le comme une

autre Sophie. Tu le comprendras mieux.

— Il faudrait conseiller la même chose à tout le monde, si on veut que ça fonctionne.

Mamie me trouve drôle! Je lui dis:

— Avec toi, l'harmonie est facile! Tu me comprends toujours.

— Ah non, cette fois c'est Julien. Il a deviné que tu n'allais pas bien.

— Julien!?

— Il m'a dit: «Sophie a des problèmes; elle se prend pour un éléphant. Tu devrais lui parler. Moi, je suis trop petit, elle m'écraserait.»

Fiou!

6
Sophie
sauvée par une abeille

Ce matin, je n'ai aucune difficulté à considérer Laurent comme une autre Sophie. Il porte mon blouson, mon t-shirt et ma casquette. Notre relation va bien!

C'est un peu plus compliqué avec Clémentine. Elle m'attaque de front:

— J'espère que tu vas changer d'air.

— Qu'est-ce qu'il a, mon air?

— Il pollue l'atmosphère. Descends de tes grands chevaux, et on pourra s'expliquer.

— Descends la première!

Et toc! la p'tite parfaite! Elle a besoin d'une leçon. C'est vrai! Je lui dis:

— Si tu veux discuter, tu dois me considérer comme une autre Clémentine.

La souris fait des yeux ahuris. Je lui explique le système de Mamie. Elle est d'accord pour l'essayer.

Deux minutes plus tard, je l'appelle Sophie et elle m'appelle Clémentine. On rigole comme des folles! Puis on parle de nos problèmes.

— Une dispute! Il en faut plus aux parents pour se séparer! J'en sais quelque chose, me confie Clémentine.

— Salut, grosse tête!

Grrr... Lapierre me tombe sur les nerfs! Ce sera long avant

que je l'appelle Sophie!

BANG!

Grrr... Tanguay vient de faire éclater un sac de chips dans mes oreilles.

Je vois clair dans leur jeu! Ils me provoquent afin que je perde patience. Ils me font pitié. Ce sont de pauvres petits... humains.

Des petits humains TERRIBLES!

Tanguay a mangé deux fois plus de friandises durant les cours. Une orgie! Une cacophonie de papiers chiffonnés.

Lapierre m'a bombardée de pois. Ce n'est pas compliqué, je suis picotée tellement j'ai des bleus. Mais je suis demeurée de marbre.

Vous savez comment j'ai pu résister? En pensant que ça ne durerait pas toujours. Le cours

de théâtre avait lieu à la fin de la journée...

***

L'heure de l'éléphant approche!

Tout le monde a présenté sa petite fable. Sauf Julien.

— Je serai une abeille, dit-il,

et je sauverai l'éléphant. Alors qu'un chasseur va l'abattre, je le pique à la main et il rate son coup. Je veux montrer, comme La Fontaine, qu'on a souvent besoin d'un plus petit que soi.

Mme Pinson est en pâmoison devant Julien, qui ajoute:

— Mais l'éléphant doit être vraiment gros. Il faudrait deux élèves pour jouer le rôle.

DE QUOI IL SE MÊLE!

Mme Pinson est folle de l'idée. Moi, je suis folle de rage

contre mon frère. Après le cours, je lui murmure à l'oreille:

— DE QUOI TE MÊLES-TU?

— Je t'ai sauvée, ma chère!

— Arrête de te prendre pour une abeille! Sors de ta fable!

— J'ai surpris Tanguay en train de faire l'éléphant. Il était fa-bu-leux. Tu n'aurais pas eu le rôle, conclut Julien en me tournant le dos.

Je n'en reviens pas! Tanguay était fabu... Le voilà! Il me dit d'un ton mielleux:

— Tu veux du chocolat?

Je ne suis pas dupe de sa générosité. Après tout ce qu'il a mangé, il n'a plus faim! Je reste sur mes gardes.

— Puisqu'on est obligés de faire équipe, aussi bien s'entendre tout de suite, ajoute-t-il.

— À quel propos?

— Sur le partage du rôle, précise-t-il. Moi, je ferai la tête de l'éléphant, et toi le derrière.

Le derrière! Moi, je jouerais un derrière! Je retiens mon souffle afin de ne pas éclater. Je dois le faire changer d'idée, discuter avec lui.

J'essaie de le considérer comme une autre Sophie. Tout ce que je vois, c'est un autre éléphant. Je le prends mal!

Mais je suis fatiguée de me battre. Et ce n'est pas certain que je gagnerais. J'ai besoin de temps pour réfléchir.

Je réponds à Tanguay:

— On en reparlera demain. Il n'y a pas le feu à la jungle!

Je crois que je vais lire les *Fables de La Fontaine*. On y

parle peut-être d'un éléphant... à deux têtes!

Et je vais consulter Julien. Même s'il est plus petit que moi...

Sophie, volume 2

Table des matières

Découvrez les autres séries de la courte échelle

Hors collection Premier Roman

Série Fred :
Fred, volume 1

Série Sophie :
Sophie, volume 1

Série Les jumeaux Bulle :
Les jumeaux Bulle, volume 1

Série Marilou Polaire :
Marilou Polaire, volume 1

Série Babouche :
Babouche

Série Clémentine :
Clémentine

Série FX Bellavance :
FX Bellavance, volume 1

Hors collection Roman Jeunesse

Série Rosalie :
Rosalie, volume 1

Série Andréa-Maria et Arthur :
Andréa-Maria et Arthur, volume 1

Série Ani Croche :
Ani Croche, volume 1
Ani Croche, volume 2

Série Maxime :
Maxime, volume 1

Série Notdog :
Notdog, volume 1
Notdog, volume 2

Série Catherine et Stéphanie :
Catherine et Stéphanie, volume 1